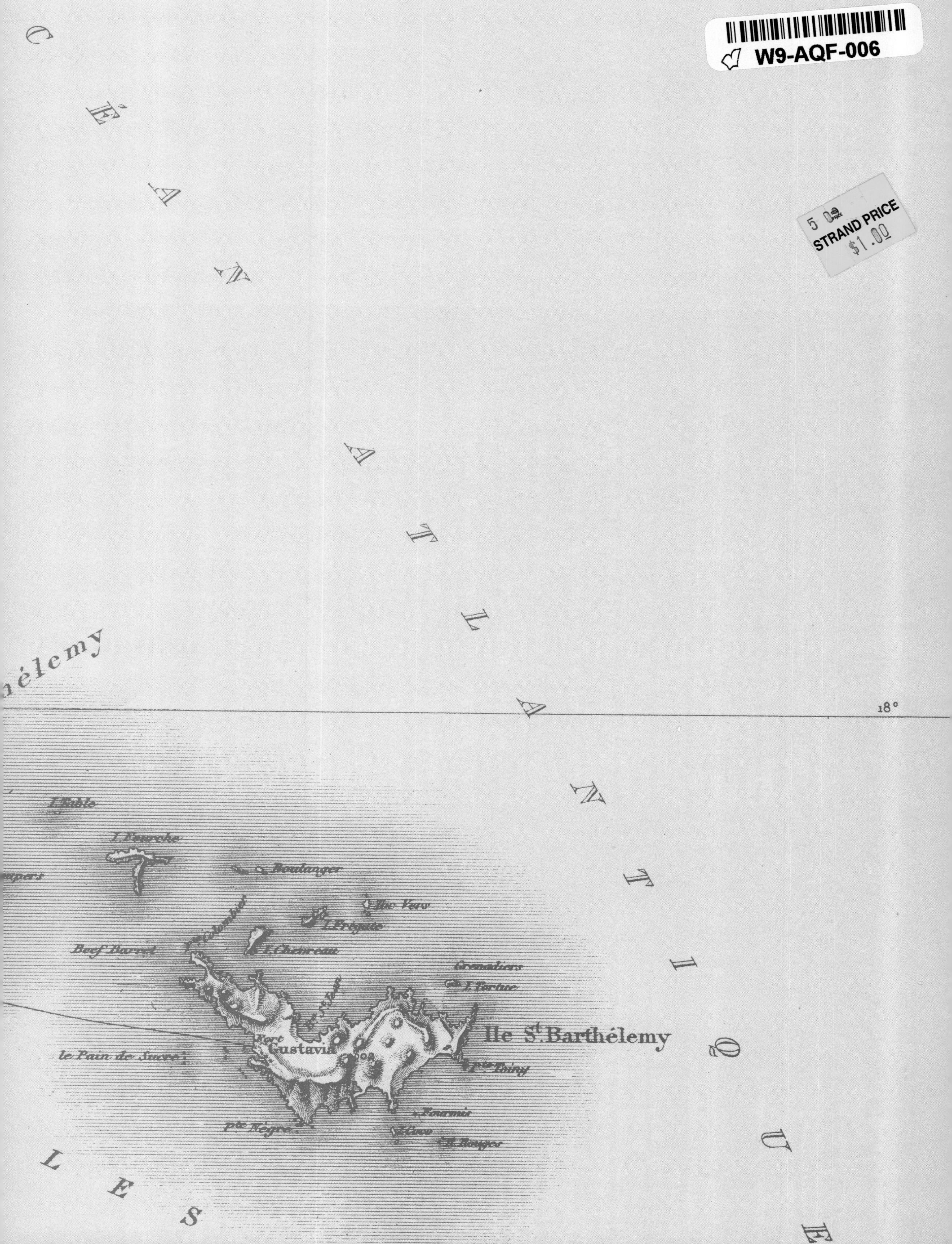

C
É
A
N

A

T

L

A

N

T

I

Q

U

E

C

É

L

E

S

~élemy

18°

L'Table

I. Fourche

~pers

Boulanger

Ile Vew

I.Frigate

Beef Barret

I. Chevreau

Grenadiens

I. Tortue

Ile S.ᵗ Barthélemy

Fort
Gustavia

p.ᵗᵉ Thiny

le Pain de Sucre

p.ᵗᵉ Négres

Fourmis

Olive

I. Rouges

HISTOIRE DE HISTORY OF
St Barth

HISTOIRE DE

HISTORY OF

St Barth

Texte et illustrations
Text and illustrations by
STANISLAS DEFIZE

Translation by Joan FENET

LES EDITIONS DU LATANIER

Il a été tiré de cet album 125 exemplaires dont
25 hors commerce et 100 numérotés de 001 à 100 constituant
l'édition originale

Cet ouvrage constitue l'édition originale

Il a été tiré à 125 exemplaires dont :
25 exemplaires hors commerce numérotés HC
100 exemplaires numérotés de 001 à 100

Exemplaire N° 0.5.2.

Dépôt légal Décembre 1987
ISBN 2-9502284-0-2

Imprimé en France - Publiphotoffset 75011 Paris - en Novembre 1987
Printed in France

e toute petite île aride de 25 km² perdue dans les Petites
tilles.

e des plus anciennes avec son noyau vieux de cinq
lions d'années.

rains volcaniques de l'éocène, alternant avec les calcai-
et les tufs, Saint-Barthélémy est vouée dès l'origine à
terribles sècheresses succédant à des pluies diluviennes.

rsonne !

*A tiny barren island barely 10 square miles lost in the
Lesser Antilles.*
Latitude 17º55 North, longitude 62º50 West.
*One of the oldest islands, with a nucleus dating back five
million years.*
*Volcanic formations from the oecene period alternate with
limestone and tufa. From the outset St.Barthélémy was
destined to suffer terrible periods of drought and torrential
rains.*
And not a soul!

Puis, au début de l'ère chrétienne, il y eut les Arawaks, peuple pacifique et agricole, dont la branche « Igniris », remontant depuis le Vénézuéla, s'établit dans les Antilles. Vinrent-ils sur cette île dépourvue de cours d'eau, c'est peu probable, la morphologie du lieu se révélant particulièrement ingrate, la mauvaise qualité des sols étant en outre aggravée par une pluviométrie irrégulière. St-Barthélémy avait une belle vocation d'île déserte.

Then, at the beginning of the Christian era, came the Arawaks, a peaceful, agrarian people; the Igniris branch of them, gradually working their way north from Venezuela, settled in the Antilles. It is unlikely they actually landed on this island; it had no fresh water, its morphology was particularly unpromising, and the poor quality of its soil was worsened by irregular rainfall. St. Barth's vocation was to be a desert island.

le milieu du 12ᵉ siècle, surgirent les Caraïbes, peuple
ier et conquérant.

leurs grandes pirogues d'au moins 100 pieds de long,
gées de plus de 50 guerriers, ils remontaient eux aussi
ôtes nord de l'Amérique du Sud vers l'arc antillais.

rant la voile, ces bons marins utilisaient les courants au
des îles et fondaient sur les villages arawaks.

hommes étaient sauvagement massacrés, et probable-
t dévorés lors de rites religieux.

nt aux femmes, après avoir été violentées, elles étaient
ites en esclavage.

t à eux que nous devons le premier nom de notre île,
nalao.

firent de courts séjours, s'y ravitaillaient, puis, repar-
t vers le reste de l'archipel.

Towards the middle of the 12th century the Caribs, a
warlike, conquering people, suddenly appeared on the
scene.
They too were working their way up along the northern
coastline of South America towards the Antilles, in their
large dug-out canoes (or 'pirogues') at least 100 feet long,
carrying over 50 warriors. As they had no knowledge of
sailing, these brave seafarers used the currents on the
leeside of the islands and descended on the Arawak
villages.
The men were savagely massacred and probably devoured
in the course of religious rituals.
After being ravished, the women were taken as slaves.
To these people, we owe the first name our island:
«Ouanalao». They stopped off there for brief periods, took
on fresh food supplies and then set off again for the rest of
the archipelago.

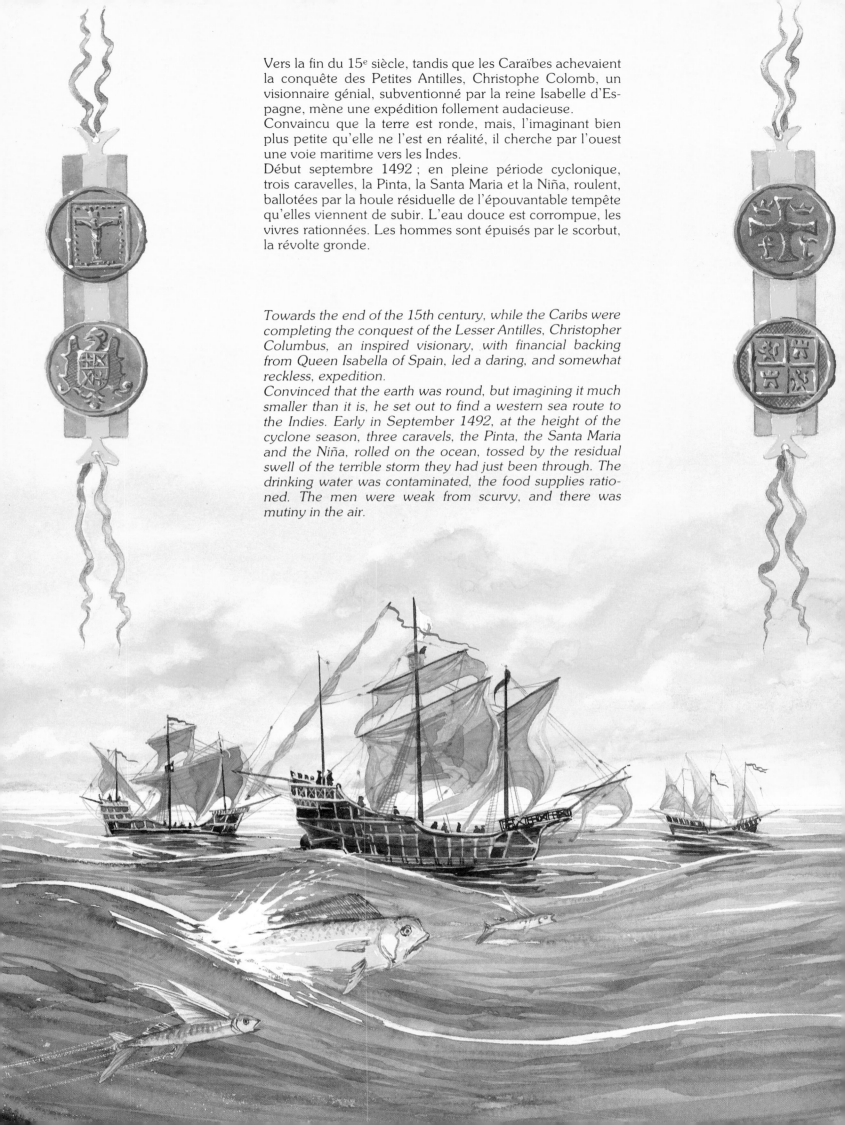

Vers la fin du 15ᵉ siècle, tandis que les Caraïbes achevaient la conquête des Petites Antilles, Christophe Colomb, un visionnaire génial, subventionné par la reine Isabelle d'Espagne, mène une expédition follement audacieuse.

Convaincu que la terre est ronde, mais, l'imaginant bien plus petite qu'elle ne l'est en réalité, il cherche par l'ouest une voie maritime vers les Indes.

Début septembre 1492 ; en pleine période cyclonique, trois caravelles, la Pinta, la Santa Maria et la Niña, roulent, ballotées par la houle résiduelle de l'épouvantable tempête qu'elles viennent de subir. L'eau douce est corrompue, les vivres rationnées. Les hommes sont épuisés par le scorbut, la révolte gronde.

Towards the end of the 15th century, while the Caribs were completing the conquest of the Lesser Antilles, Christopher Columbus, an inspired visionary, with financial backing from Queen Isabella of Spain, led a daring, and somewhat reckless, expedition.

Convinced that the earth was round, but imagining it much smaller than it is, he set out to find a western sea route to the Indies. Early in September 1492, at the height of the cyclone season, three caravels, the Pinta, the Santa Maria and the Niña, rolled on the ocean, tossed by the residual swell of the terrible storm they had just been through. The drinking water was contaminated, the food supplies rationed. The men were weak from scurvy, and there was mutiny in the air.

ujours pas de terre en vue, et cela fait des semaines
'ils naviguent dans l'inconnu, terrifiés. Colomb hésite.
ut-il pousser plus à l'ouest encore ? Les hommes crai-
ent qu'arrivés enfin aux limites ultimes de ce monde,
rs nefs ne s'abîment dans le vide infini. Vers le sud, ils
loutent que la mer ne se mette à bouillir. Toutes ces
yeurs les rendent incontrôlables. Colomb le sait. Pru-
mment, lorsque l'alizé se rétablit, il met ses navires au
rtant, cap nord-ouest. Pourtant, vers le couchant, au-
là de leur horizon, les îles, et parmi elles Ouanalao.
fin, le 12 octobre, la terre est en vue. C'est une petite île
s Bahamas, probablement Watling, que, vu les circons-
ices, Colomb nomma San Salvador. La face du monde
ait changer.

est là qu'eurent lieu les premiers contacts avec les
awaks, qui lui firent bon accueil.
l y avait-il d'autres terres ?
avait-il de l'or ?
le continent asiatique, par où fallait-il le chercher ?
s Arawaks lui révélèrent l'existence d'autres archipels
us au Sud, ceux que Colomb avait ratés de peu, ceux
nt ils provenaient eux-mêmes. Colomb obtint d'eux une
rte sommaire et poussa jusqu'à Hispagnola, actuellement
iti et Saint-Domingue, puis regagna l''Europe, non sans
oir laissé sur place, la petite colonie de Navidad, qui se fit
ailleurs massacrer peu après.
est donc lors de son second voyage en 1493, que
iristophe Colomb découvrit les îles Caraïbes. Il partit de
idix faisant une escale aux Canaries, à la tête d'une
ritable flotte de 17 bateaux, 1 500 hommes, des vaches,
evaux et volailles, des plantes et semences. Excellent
vigateur, il arriva en Guadeloupe après 21 jours de
iversée, avec la ferme volonté de coloniser de nouvelles
res.
ors de son premier voyage, Colomb n'avait pas rencontré
Caraïbes, mais il avait entendu parler de leur terrible
rocité. L'Amiral ordonna à une caravelle légère de cô-
yer cette terre, à la recherche d'un mouillage sûr.
son bord, le Docteur Chanca fit le récit suivant : « Le
apitaine monta dans sa chaloupe et descendit sur le
vage. Il porta ses pas vers les maisons, dans lesquelles il
ouva les habitants qui, dès qu'ils l'aperçurent, prirent la
ite. Il entra dans ces maisons, où il trouva les choses
'ont les Indiens. Il y prit deux perroquets très grands, et
en différents de ceux qu'il avait vus jusqu'alors. Il trouva
aucoup de coton filé et des vivres. Il prit un peu de
iacune de ces choses, et surtout 4 ou 5 ossements de bras
de jambes humains. On se saisit de plus de vingt
mmes, qui étaient captives en cette île.

*There was still no land in sight; the sailors were terrified
after weeks of navigating in the unknown. Columbus
hesitated. Should they take a course still further west? The
men feared that when they finally reached the ultimate
confines of this world, their vessels would disappear forever
over the edge into emptiness. To the south they were
afraid the sea would start boiling. All these fears made
them uncontrollable, as Columbus knew.*
*Once a fair trade-wind got up, he set sail prudently on a
north-westerly course. And there, to the west, beyond their
horizon, lay the islands, one of which was Ouanalao.*
Eventually, on October 12, land was sighted.
*It was a small island of the Bahamas, probably Watling,
which, in view of the circumstances, Columbus named San
Salvador.*
The face of the world would never be the same again.
*It is here that contact was first made with the Arawaks, who
gave them a friendly welcome.*
Where could they find other lands?
Was there any gold?
Which way should they seek the continent of Asia?
*The Arawaks told them of the existence of other archipela-
gos further south which Columbus had only narrowly
missed, and from which they personally originated. Colum-
bus obtained a rough map from them and pursued his
route as far as Hispaniola, which is today Haiti and the
Dominican Republic, then returned to Europe, after leaving
behing the small colony of Navidad, massacred shortly
afterwards.*
*So it was in the course of his second voyage in 1493 that
Christopher Columbus discovered the Caribbean islands.
After setting sail from Cadiz, he stopped off at the Canary
Islands, at the head of a veritable fleet of 17 ships, 1500
men, cattle, horses, poultry, plants and seeds.*
*He was an excellent navigator, and reached Guadeloupe
after a 21-day crossing, firmly determined to colonize new
lands.*
*In the course of his first voyage, Columbus had not
encountered any Caribs, but he had heard of their terrible
ferocity. The Admiral ordered a small caravel to sail along
the coast, to look for a safe place to anchor.*
*On board, Doctor Chanca gave the following account:
"The captain got into his longboat and landed. He procee-
ded towards the houses, in which he found the inhabitants,
who fled on seeing him. He entered the houses where he
found things that Indians have. He took two very large
parrots, quite different from any he had seen before. He
found a lot of woven cotton and food supplies. He took a
little of these, and in addition 4 or 5 human arm and leg
bones. Over twenty women captives on the island were
seized...*

... Ces femmes nous dirent qu'ils mangeaient les enfants.

Qu'ils ont des captives...

Qu'ils disent que la chair de l'homme est le mets le plus délicieux du monde.

Les os que nous découvrîmes, étaient rongés jusqu'à la dernière extrémité.

Quoique bien proportionnées, ces femmes étaient fort grasses. Entièrement nues, elles portaient de longs cheveux tombant sur leurs épaules, et enroulaient de leurs chevilles jusqu'aux genoux une épaisseur de coton filé, pour faire paraître leurs jambes plus grosses.

Les hommes caraïbes que nous saisîmes avaient les yeux et les cils barbouillés de noir, ce qu'ils font, je crois, par ornement, ce qui les rend encore plus effrayants... »

La flotte de Colomb, peu à peu, remonta les Petites Antilles. A chaqu'île rencontrée, Colomb donnait un nom. L'escadre se déploya, ratissant toutes les îles à découvrir.

Ce furent Sainte-Marie de Rotonde, ensuite, Sainte-Marie d'Antigue, Notre-Dame-des-Neiges, Saint-Christophe.

These women told us the Caribs ate children.

That they held women captive.

That according to them human flesh is the most delicious dish in the world.

The bones we found had been completely stripped of their meat. In one house we found the neck of a man cooking in a pot. Although well-proportioned, these women were decidedly fat. They were completely naked and had loose shoulder-length hair. From their ankles to their knees they wound a layer of woven cotton, to make their legs look fatter.

The Carib men that we seized had black smears round their eyes, I believe as an adornment, thus giving them an even more fearful aspect".

The Spanish took these women with them, probably less to protect them than to take advantage of them in their turn.

Columbus's fleet gradually worked its way up the Lesser Antilles. He named each island as he went. The squadron was deployed, combing through all the islands still to be discovered.

First came Redonda, then Antigua, Nevis and St. Kitts.

Ouánalao, un petit groupe de Caraïbes vaque à ses occupations habituelles.

Cependant, à l'horizon, une étrange pirogue...

On Ouanalao a small group of Caribs were going about their usual tasks. Meanwhile, on the horizon, a strange pirogue...

Quelle était cette caravelle qui, la première, aborda cette île ? Nous l'ignorons.

Son frère Barthélémy ? On n'en découvre aucune mention dans les journaux de bord de la flotte. On sait seulement qu'elle fut découverte et reçut le nom de ce frère bien aimé.

Pour qu'une île devint possession de la très catholique Espagne, il fallait que l'on mit pied à terre, ce qui fut fait.

Les indiens effrayés se dissimulèrent dans le maquis qui borde la plage et observèrent ces hommes blancs et barbus. Ils les virent planter dans le sable un curieux totem en forme de croix, et, à la nuit tombée, regagner leur monstrueux navire. Toute la nuit, ils guettèrent la forme sombre de la caravelle sans oser l'aborder.

Au matin, ils virent que le vent gonflait ce qu'ils avaient pris pour des nuages. Et, les envahisseurs s'éloignèrent, emportés par la brise.

Ils disparurent dans un grain à hauteur de l'île Bonhomme, pour se diriger vers Sualuiga et Malliouhana, Saint-Martin et Anguilla.

What was this caravel that first landed on this island? We not know.

Could it have been Columbus's brother Bartholomew? mention of him is made in the ships' log-books.

All we know is that the island was discovered and nan after this much-loved brother.

It was necessary to set foot on an island for it to becom possession of Catholic Spain, so a landing was made.

The Indians took fright and hid in the maquis along shore, whence they observed these bearded white m They saw them erect a curious totem pole in the sand the shape of a cross and, once it was dark, return to th monstrous ship. All night long they kept watch on the a shape of the caravel, not daring to accost it.

In the morning they saw that the wind was filling what t had taken to be clouds. And the invaders moved carried by the breeze. They disappeared in a squall off island of Bonhomme, and then headed on towards Su gua, Malliouhana, St.Martin and Anguilla.

Rapidement, la mer effaça les traces de ce premier passage, qui ne fut qu'une reconnaissance. Il y eut de nombreuses autres expéditions et des heurts sanglants avec les Caraïbes.

Cependant, Saint-Barthélémy resta en dehors de la tourmente, trop petite et aride pour qu'on y prêtât attention.

La colonisation des Grandes Antilles, et surtout la découverte d'un nouveau continent, la soif de l'or, absorbaient trop les Espagnols pour qu'ils puissent se déployer efficacement sur tout l'arc antillais. De plus, en guerre contre pratiquement toutes les nations européennes, ils devaient songer à protéger leurs lourds convois chargés d'or, des richesses de l'Inde, en fait du pillage systématique, des peuples amérindiens.

Peu à peu, ils perdirent pied aux Petites Antilles. Les Indiens s'étaient organisés et montaient des raids audacieux et meurtriers.

La force brutale des Espagnols avait échoué. Ils abandonnèrent ces îles à leurs farouches habitants, mais aussi, par là même, à la convoitise des autres nations.

François 1er, roi de France, tenta sa chance par l'évangélisation. En 1596, six malheureux missionnaires sont massacrés. En 1603, six autres encore.

Ensuite vinrent les Anglais. Ils tentèrent leur chance, en vain, avec dix-sept religieux.

Il en faudra bien plus pour venir à bout de ces redoutables guerriers.

Cependant, Ouanalao, ou St-Barthélémy, petit caillou perdu dans l'archipel, semble avoir fait oublier jusqu'à son existence. Les Caraïbes continuent de venir y pêcher leurs lambis, pour la confection de leurs parures et y récolter le lait empoisonné du mancenillier, dont ils enduisent les flèches qu'ils pointent au Nord sur les Espagnols, au Sud sur les Français, les Anglais, et tous les aventuriers qui commencent à infester la région. Les récits qui nous sont parvenus, les décrivent ainsi :

The sea soon washed away all trace of this first reconnaissance trip. There were many other expeditions and bloody clashes with the Caribs.

However St.Barthélémy was not caught up in this turmoil, as it was too small and too barren to be noticed.

The colonization of the Greater Antilles and, above all, the discovery of a new continent and the thirst for gold absorbed the Spanish to such a degree that they were unable to deploy their ships round the Antilles efficiently. Moreover they were at war with practically every nation in Europe and had to concentrate on protecting their heavy convoys, laden with gold from the riches of the Indies, from being systematically plundered by the American Indians.

Gradually they lost ground in the Lesser Antilles. The Indians had become organized and carried out audacious, murderous raids.

The brutal force of the Spanish had failed. They abandoned these islands to their ferocious inhabitants, but, in so doing, to the cupidity of other nations too.

Francis I, King of France, tried his luck with evangelization. In 1596 six unfortunate missionaries were murdered, and in 1603 six more.

Then came the English. They tried their luck, in vain, with seventeen monks.

There was still a long way to go before these formidable warriors were overcome.

« Le roucou conserve leur peau contre les ardeurs du soleil et les protège des moustiques et des maringouins... S'ils servent de tombeaux, eux-mêmes à leurs ennemis, c'est plutôt par rage que par aucun goût qu'ils y trouvent. Ils gardent, boucannés, dans leurs paniers, un pied ou un bras. Ils disent que les chrétiens leur font mal au ventre mais en font grande consommation cependant. Leurs colliers s'appellent clibat, parure faite de petites pièces de lambi, qu'ils usent sur des cailloux jusqu'à ce qu'elles soient devenues rondes. Leurs arcs sont de bois rouge, avec des flèches de certains roseaux, qui au lieu de fer, ont un bout de bois fort pointu, ou l'arête d'un certain poisson, ou encore un éclat d'écaille de tortue, qu'ils empoisonnent. Pour se battre de plus près, ils s'arment de boutous, de gros bois de gayac, dont ils écrasent la tête de leurs ennemis, ils vont le corps nu, et laissent leurs cheveux qui sont mi-longs derrière la tête, y passant des plumes d'aras, de flamants et autres oiseaux. Ils portent de petites pièces d'airain, pendues aux lèvres, au menton et au nez. Leurs femmes sont fort malheureuses, et traitées comme des esclaves. Ils en ont plusieurs et les quittent à discrétion, les tuant parfois par jalousie ainsi que les vieilles gens qui ne peuvent plus faire la cassave ni le roucou. »

Description sans doute quelque peu exagérée, par le mépris que tous ces conquistadors assez grossiers vouaient à ces « sauvages ».

However to all appearances Ouanalao, or St.Barthélémy, this pebble in the archipelago, had managed to fade into total oblivion. The Caribs continued to go there to fish for lambis, or conches, used in their adornments; they also collected the poisonous sap of the manchineel-tree in which they dipped their arrows, before aiming them north at the Spanish and south at the French, English and all the other adventurers who were beginning to overrun the region. The accounts we have describe them as follows:

"Annatto protects their skin from sunburn, mosquitoes and sandflies. If they are themselves their ennemies' last resting-place, it is more out of rage than out of any personal taste on their part. In their baskets they keep a foot or an arm, smoke-dried. They claim that Christians give them indigestion but nevertheless get through large numbers of them. Their necklaces, known as 'clibat', are made from small pieces of lambis which they rub against stones to round them off. Their bows are made from red wood and their arrows from certain reeds; the tips are made not of metal but of very sharp wood, or the bone of a particular fisch, or even tortoise-shell, and are poisoned. For close combat they use 'boutous', heavy wooden cudgels from the guaiacum tree, with which they crush their opponent's head; they go naked and wear their medium-length hair tied back; in it they insert feathers from macaws, flamingoes and other birds. They adorn their lips, chins and noses with small pieces of bronze. Their women are extremely unhappy and treated like slaves. They have several wives whom they abandon as they please, occasionally killing them out of jealousy, just as they kill the old people who are no longer able to make cassava or annato".

No doubt a somewhat exaggerated description, due to the contempt these rather coarse conquistadors felt for these "savages".

Cependant, non loin de Ouanalao, à Leamuiga (fertile en langue caraïbe), qui fut nommée Saint-Christophe, le cacique Tegerman était particulièrement amical, il tolèra la présence de quelques colons français, échoués là on ne sait trop comment. Ce qui fera dire à un voyageur, que les Caraïbes sont hospitaliers, sans ambition, très simples, sans fraude, sans mensonge et d'une morale exemplaire. Sans doute fûrent-ils tout cela aussi, et selon l'attitude que l'on prit vis-à-vis d'eux. Après tout, n'étaient-ils pas là chez eux ?

Un jour de 1622, un navigateur anglais, Sir Robert Warner, redécouvrit St-Christophe, pratiquement par hasard, tandis que deux ans plus tard, Pierre Belain d'Esnambuc, capitaine du roi Louis XIII, débarque à son tour. Issu de petite noblesse désargentée, ce corsaire ambitieux et brillant, comptait bien se refaire une fortune. Tandis que Warner obtenait d'importants financements en Angleterre, Belain d'Esnambuc trouva crédit auprès de Richelieu, le puissant conseiller du roi de France.

Nommé gouverneur général, il cingla vers son île à la tête de trois navires. La traversée fut épouvantable.

C'est épuisés que seulement 250 survivants des 530 hommes embarqués au Havre, tentèrent de mettre pied à terre. L'accueil de Warner et de ses hommes fut glacial. Les Caraïbes voulurent s'opposer à ce débarquement, et il fallut les repousser de sanglante façon jusqu'aux montagnes inaccessibles.

Les Français et Anglais conclurent un accord de cohabitation, et de défense mutuelle. Cette bizarre situation dura bon an mal an un siècle et sonna le glas du peuple caraïbe.

Yet not far from Ouanalao, on Leamigua (which means fertile in Carib), later named St.Christopher or St.Kitts, the local cacique Tegerman was particularly friendly; he tolerated the presence of some French settlers who had landed there by chance. This led a traveler to say that the Caribs were hospitable, unambitious, unpretentious, upright and honest, models of virtue. No doubt they were that too, depending on how one behaved towards them. After all, this was their country, was it not?

One day in 1622 an English navigator, Sir Robert Warner, rediscovered St.Kitts almost by accident; he was to be followed two years later by Pierre Belain d'Esnambuc, a captain of the French King Louis XIII, who landed there in turn. This brilliant, ambitious buccaneer came from an impecunious gentry background and firmly intended to make his fortune. While Warner obtained considerable financial backing in England, Belain d'Esnambuc gained support from Richelieu, the powerful adviser of the King of France. Appointed Governor General, he headed three ships which set sail for his island. The voyage was appalling. Exhausted, only 250 survivors, out of the 530 men who had embarked in Le Havre, attempted to land. They were given an icy welcome by Warner and his men. The Caribs wanted to oppose this landing and had to be driven back in bloody combat into the inaccessible mountains. French and English reached an agreement on cohabitation and mutual defence.

All in all, this bizarre state of affairs lasted for a century and sounded the death knell of the Caribs.

Chacun éleva des fortifications, on planta des cultures vivrières, du tabac et de la canne à sucre. Parmi les nombreuses îles visibles des mornes de St-Christophe, St-Barthélémy semblait se confondre avec St-Martin. Anglais et Français parcouraient du regard ces horizons du Sud au Nord, convoitant toutes ces îles. Ils n'ent finirent plus de se les arracher au son de leurs canons.

Peu à peu de petites colonies parvinrent à s'accrocher çà et là. Warner et Belain d'Esnambuc entreprenaient leurs vastes colonisations.

Each side put up fortifications, planted food crops, tobacco and sugar cane. Nestling among the many islands visible from the hill-tops of St.Kitts, St.Barthélémy seemed to merge with St.Martin. English and French scanned these horizons from south to north and cast covetous eyes over all these islands. There was endless fighting over them, and the air resounded with cannon fire.

Gradually small colonies managed to secure a foot-hold here and there. Warner and d'Esnambuc set about their vast colonization programs.

Pierre Belain d'Esnambuc

Sir John Warner

Les Espagnols voyaient d'un assez mauvais œil tous ces aventuriers, pirates ou corsaires, de toute nation, compromettre la sécurité de leurs convois, qui drainaient du Pérou vers l'Espagne les quelques 17 000 tonnes d'or et de pierreries, expédiées par Pizarre et ses successeurs.

Les cayes, comme ils appelaient avec mépris ces petites îles, devenaient autant de repères menaçants. Ils dirigèrent une flotte vers St-Christophe. D'Esnambuc et Warner durent s'incliner, et s'engager à évacuer leurs troupes de l'île. D'Esnambuc dut s'exiler à St-Martin, tandis que Warner feignit son propre départ, dans l'espoir de s'emparer de l'île.

D'Esnambuc, pour se garder à la fois des Anglais, des Espagnols et des Caraïbes, laissa en chemin une petite garnison à St-Barthélémy.

Les Européens qui vécurent là pour une courte période en 1629 ne durent pas apprécier leur rôle de bouclier. Mais les ordres étant les ordres, ils s'accrochèrent du mieux qu'ils purent à ce rocher, en rêvant à la relève.

Les Espagnols, ayant quitté la région, trop occupés ailleurs,

The Spanish looked unfavorably on all these adventure pirates or corsairs from every nation, who imperilled safety of their convoys transporting some 17,000 tons gold and precious stones from Peru to Spain, dispatch by Pizarro and his successors.

The coral reefs, as they contemptuously called these li islands, were becoming so many pirates' nests. A fleet ships was sent to St. Kitts. D'Esnambuc and Warner we forced to surrender and undertook to withdraw their troc from the island. D'Esnambuc had to take exile on St. Mar while Warner feigned a departure, in the hope of la regaining control of the island.

D'Esnambuc left en route a small garrison on St. Barthé my, to protect himself simultaneously from the English, Spanish and the Caribs. The Europeans who stayed the for a short period in 1629 could hardly have apprecia this protective mission. But orders were orders, and th hung on to this rocky island as best they could, dreaming the day when they would be relieved.

Too involved elsewhere, the Spanish left the region, a

Esnambuc récupéra ses hommes et retourna affronter les nglais à St-Christophe.

-Barthélémy retrouva sa somnolence d'île déserte. Pour-nt, pour la première fois, des Européens, y avaient vécu.

lomate à la main de fer, d'Esnambuc avait un penchant dent pour les belles indigènes. C'est probablement ce à l'une d'elles, qui trahit son peuple, qu'il parvint à louer un complot, qui faillit anéantir la colonie anglo-nçaise de St-Christophe. Plusieurs centaines de guerriers leurs familles furent surpris endormis dans leurs hamacs. furent poignardés sauvagement.

d'Esnambuc retrieved his men and went back to tackle the English on St.Kitts. St.Barthélémy reverted to its desert island somnolence. Nevertheless for the first time Europeans had lived there.

A diplomat with an iron hand, d'Esnambuc's soft spot was apparently the beautiful native girls. It is probably thanks to one of them, who betrayed her people, that he was able to foil a plot that came close to wiping out the Anglo-French colony of St.Kitts. Several hundred warriors and their families were taken by surprise while asleep in their hammocks and savagely stabbed to death.

Français et Anglais étendirent leurs conquêtes, tout en se gênant du mieux qu'ils purent. Belain d'Esnambuc dota la France d'un empire aux Indes Occidentales. Gouverneur de la compagnie des Indes, il rendit l'âme, fortune faite en 1637, miné par une syphilis héritée d'une de ses charmantes conquêtes locales.

Durant une dizaine d'années encore, St-Barthélémy ne reçut pas de visite notoire, si ce n'est celles de flibustiers qui faisaient relâche peu de temps dans sa crique bien abritée de Carénage, afin de se soustraire aux regards indiscrets, ou pour réparer quelques avaries.

On désigna de Poincy comme successeur à d'Esnambuc, et l'on ne pouvait mieux choisir : « de Poincy étant une tête sur les épaules, parfois même un peu forte ».

French and English made further conquests, obstructing one another to the best of their ability. Belain d'Esnambuc endowed France with an empire in the West Indies. As Governor of the French Indies Company he had made his fortune by 1637, and passed away, his health undermined by syphilis contracted from one of his charming local conquests.

For a further ten years or so St.Barthélémy did not receive any out-standing visits, apart from those of privateers who anchored briefly in the protected creek of Carénage, where they felt safe from prying eyes and could carrying out repairs on their ships.

De Poincy was appointed successor to d'Esnambuc, and a better choice could not have been made, "de Poincy being a head on shoulders, and strong-minded, to boot".

Pour des raisons uniquement stratégiques, en 1648, Monsieur Longvilliers de Poincy décida l'occupation définitive de St-Barthélémy. Il envoya un nommé Jacques Gante avec 53 hommes, quelques nègres, cabris et volaillle. L'on choisit de vieux habitants de St-Christophe, tous accoutunés à la terre. Chacun fit provision d'armes, de poudre, et de balles ainsi que d'outils. Ils se fournirent en plants de manioc, de patates, fèves et autres graines, ainsi que de boutures de citronniers, orangers, arbres à pain, et tabac.

Sans doute furent-ils abandonnés à leur sort dans ce bon havre de Carénage (actuellement Gustavia) tandis que pour les mêmes raisons stratégiques, une autre petite colonie était laissée à St-Martin.

Un campement s'organisa. Quelques vieilles voiles leur servirent d'abri et l'on disposa tout ce qui pouvait recueillir de l'eau.

Serrés les uns contre les autres, leur première nuit dut être peuplée de cauchemars.

For purely strategic reasons in 1648 Monsieur Longvilliers de Poincy decided to occupy St.Barthélémy once and for all. A certain Jacques Gante was sent there, with 53 men, a few negroes, some goats and poultry. Those chosen to go were inhabitants of St.Kitts with a long experience of the land. Each toor along a supply of weapons, gun-powder, bullets and tools. They provided themselves with manioc plants, sweet potatoes, beans and various seeds, as well as cuttings of lemon, orange and bread-fruit trees, and tobacco plants.

No doubt they were abandoned to their fate in the brave port of Carénage (present-day Gustavia) while, for the same strategic purposes, another small colony was left on St.Martin.

A camp was set up. Some old sails were used for shelter and anything that could be used to collect rainwater was put out.

Huddled together, their first night must have been haunted by night-mares.

Peu à peu, ils explorèrent leur nouveau domaine. Sans être recouverte d'une épaisse forêt, l'île était alors suffisamment boisée pour permettre la construction de cases, et plus tard, les réparations de navires.

Le bois de gaïac, excessivement dur, abondait ainsi que les poiriers rouges et blancs.

Les terres furent réparties par famille, en fonction des compétences particulières de chacune. Certains bons charpentiers ou pêcheurs restèrent à Carénage et ses environs, tandis que d'autres prenaient possession des rares plantes et des fonds. D'autres encore s'établirent dans les mornes. Sous la férule de leurs chefs, les sieurs Gante et Bonhomme, un seul espoir, demeurer et survivre.

En 1561, l'île est vendue à l'Ordre-de-Malte, car la France craint les visées annexionnistes des Anglais et des Espagnols. Cette opération était quelque peu fictive puisque de Poincy était Commandeur de l'Ordre.

Cela ne changea rien au sort des St-Barth, qui continuèrent dans le même dénuement à gratter leur terre.

Gradually they explored their ne[w] domain. Although not thickly wo[o]ded, the island at that time h[ad] enough trees to enable them to bu[ild] cabins and, later on, repair the[ir] ships. There was an abundance [of] excessively hard guaiacum woo[d,] and red and white pear-trees we[re] plentiful.

The land was shared out among th[e] families, according to their particul[ar] competence. Certain capable sh[ip]wrights and fishermen stayed in [and] around Carénage, while others too[k] possession of the rare plains an[d] lowlands. Yet others settled in th[e] hills. Ruled over by their two leader[s,] Gante and Bonhomme, they hope[d] for one thing: to stay and survive.

In 1651 the island was sold to th[e] Order of Malta, for France feared th[e] annexionist designs of the Englis[h] and Spanish. This operation was la[r]gely fictive as de Poincy was Com[mander of the Order.

This in no way affected the fate of th[e] islanders who continued to endea[v]our to eke out a living from the land[.]

us ces hommes n'étaient pas des saints. Il y avait des
es fréquentes et les offices religieux n'étaient guère
vis. Tous étaient fortement armés, y compris les prêtres
passage qui avaient quelques difficultés à contrôler leur
ailles.

rtains trafiquaient déjà avec les flibustiers et les corsaires.
urtant grâce à la protection de De Poincy, les Saint-Barth
yaient pouvoir vivre en paix. Il n'en fut rien.

1656, un raid des Caraïbes les surprit en pleine nuit
ns leur sommeil. A coups de boutous, hommes, femmes
enfants furent massacrés.
Lorient, leurs têtes tranchées furent fichées sur des pieux
exposées le long du rivage.
rrorisés les rares survivants regagnèrent Saint-Christophe
ns un canot sommairement gréé.

*ese men were by no means saints. There were frequent
tbursts of fighting and church services were rarely atten-
d. They were all heavily armed, even the passing priests,
o had some trouble controlling their flock.
ere was already some trading with the freebooters and
rsairs. But because they were under the protection of de
incy, the people of St.Barth thought they could live in
ace. They were mistaken. In 1656 they were taken by
rprise while asleep in the middle of the night by a Carib
d. Men, women and children were battered to death. In
rient their severed heads were stuck on poles and
hibited along the shore.
terror, the rare survivors returned to St.Kitts in a make-
ft sail-boat.*

Il va de soi qu'après cet épouvantable carnage, plus aucun
colon ne voulut s'établir sur ce maudit caillou.
Pour quatre longues années, la nature reprit donc ses
droits.

*It goes without saying that after this terrible slaughter no
more settlers were willing to move to this rock of damna-
tion.
So for four long years Nature came back into her own.*

Ce n'est qu'en 1659, la paix rétablie avec les « sauvages », que de Poincy put recruter une trentaine de volontaires pour une réinstallation. La plupart originaires de Normandie et de Bretagne, ils étaient ceux-là mêmes ou proches parents des rescapés de la terrible traversée d'Esnambuc en 1644. Ces paysans illettrés, et excessivement pauvres, avaient souvent été enrôlés de force dans les îles ou poussés par la misère. Certains avaient aussi quelque raison de s'éloigner des potences. Ces hommes frustres et brutaux n'avaient donc rien à perdre. Ils allaient devenir de petits blancs misérables mais propriétaires, car l'île pouvait à peine leur offrir une agriculture de maigre subsistance.

On les abandonna là, face aux ruines de la précédente tentative en leur souhaitant de croître et de multiplier. Parmi eux, les noms de : Aubain, *Bernier* et Gréaux. Ils le firent si bien, que le Père Dutertre leur rendant visite en 1664, soit seulement 5 ans plus tard « les trouva insensiblement multipliés en sorte qu'il y en avait une centaine », lequel Père ajoute « que cette population semble vivre assez difficilement .»

It was not until 1659, once peace had been restored with the savages, that de Poincy was able to recruit thirty or so volunteers for a resettlement. Most of them came from Normandy or Brittany, and were either close relatives, or themselves survivors, of the terrible crossing made by d'Esnambuc in 1644. These illiterate, exceedingly poor peasants had often been forced to sign up for the islands or were driven to do so by their poverty. Some also had good reason to put a certain distance between themselves and the gallows. Consequently these rough, brutal men had nothing to lose. Although land-owners, they would become penniless white settlers, for the island could only just afford them a meagre subsistence from farming.

They were abandoned there, on the ruins of the previous attempt, and it was hoped they would prosper and multiply. Among them figured the names of: Aubain, Bernier and Gréaux. They succeeded so well that Father Dutertre visiting them in 1664 only five years later "found their numbers had grown slightly to reach a hundred or so", adding "this population leads a fairly hard existence".

En 1665, l'île est revendue à la Compagnie des Indes Occidentales, mais l'événement n'a pas dû émouvoir beaucoup nos Saint-Barth, un maître en valant bien un autre. Seule leur survie les occupe. Cyclones, périodes de sécheresse et de beau temps se succèdent, de nouveaux arrivants s'établissent. Ils s'accrochent à leur caillou et croissent toujours. En 1671, ils se répartissent comme suit :

85 maîtres de case, habitants bourgeois et marchands, 5 veuves maîtres de case, 47 femmes mariées ; 53 garçons, 43 filles, 15 serviteurs artisans, 8 serviteurs blancs, 36 servantes blanches, 25 nègres, 15 négresses, 6 négrillons et négrites.

Le cheptel était composé de 16 bœufs, 60 vaches, 25 veaux.

Un nombre non relevé de cabris et une bourrique. Cependant l'année suivante, toute la population fut évacuée à Saint-Christophe contre son gré et l'on mit à sa place autant d'irlandais catholiques qui avaient beaucoup à craindre des Anglais protestants.

Mais les Saint-Barth s'acharnèrent à retourner sur leur île et les Irlandais dûrent se résoudre à vivre ailleurs. Dix ans plus tard la population était accrue de 43 personnes. Le cheptel s'est maigrement étoffé, quant à la bourrique, elle a disparu.

In 1665 the island was again sold, this time to the We India Company, but the event can hardly have affected t inhabitants, as all masters were the same to them. The only preoccupation was their survival. Cyclones, periods drought and fine weather came and went, new-come settled. They hung on to their rock, and continued to gro in number.

In 1671 the population figure can be broken down follows:

85 cabin-owners, resident burghers and merchants 5 widows, cabin-owners; 47 married women; 53 boy 43 girls   15 servant craftsmen
8 white men-servants 36 white women-servants
25 negroes 15 negresses   6 little negro boys and girls
The live-stock consisted of 16 oxen, 60 cows, 25 calves.
Kid-goats and a donkey (number not specified).
However, the following year the whole population w evacuated to St.Kitts against their will; they were replace by Irish Catholics who had good reason to fear the Engli Protestants.
But the people of St.Barth doggedly returned to the island, and the Irish had to reconcile themselves to livi elsewhere. Ten years later the population had increased 43 people. The live-stock had grown slightly in numbe but the donkey was no longer listed.

s conditions de vie misérable, empêchèrent la création plantations de type colonial. Coupés du monde extérieur, maîtres et esclaves étaient habitués à travailler côte à te dans le même dénuement. Chaque fois qu'ils furent assés vers les grandes îles à sucre et à tabac, les petits ncs de Saint-Barth se trouvèrent complètement inadap-, aussi revinrent-ils aussi vite qu'ils le purent.

s le milieu du 17e siècle, les bases du commerce angulaire étaient bien établies. Les navires négriers par-ent de La Rochelle, Saint-Malo, Brest ou Bordeaux, vers côtes d'Afrique Occidentale. Là, ils achetaient des claves, aux roitelets du Sénégal et de Guinée. Ce « bois bène » était revendu comme main-d'œuvre, remplaçant Indiens décimés aux exploitations des îles. Ensuite, les vires chargés de sucre, d'indigo et de tabac repartaient s la Métropole. Dans les grandes îles, les esclaves vinrent peu à peu l'écrasante majorité. Mais le peuple-nt de Saint-Barth resta, vraiment très en marge du reste s Antilles.

assista à l'extraordinaire survie d'une paysannerie fran-se, parce que les conditions de vie interdisaient l'entrée ssive d'esclaves. Très conservateurs, les St-Barth main-rent leur coutumes et traditions contre vents et marées. est toujours le cas aujourd'hui.

The miserable living conditions excluded the creation of colonial-style plantations. Cut off from the outside world, masters and slaves were used to working side by side, equally destitute. Each time they were driven to the large sugar and tobacco islands the poor white settlers from St.Barth found themselves totally inadapted and consequently returned as fast as they could.

Towards the middle of the seventeenth century the foundations of the trade triangle had been established. The slave-ships left from La Rochelle, Saint Malo, Brest or Bordeaux for the coasts of West Africa. There they purchased slaves from the petty potentates of Senegal and Guinea. This 'ebony wood' was sold as labor to replace the Indians whose numbers on the islands' plantations had been decimated. Then the ships, laden with sugar, indigo and tobacco, returned to the Metropolis. On the larger islands the slaves gradually outnumbered overwhelmingly the rest to the population. But the islanders of St.Barth remained very much a fringe community in the Antilles.

This period witnessed the remarkable survival of a French peasantry, because living conditions did not permit the arrival en masse of slaves. Very conservative by nature, the islanders clung to their customs and traditions in the face of great opposition. This is still the case today.

En ces temps incertains, Saint-Barthélémy se divise en deux régions. Le quartier du Roy, qui couvrait le nord de l'île, et le quartier d'Orléans dans la partie sud. Enfin, le havre de Carénage, lieu habituel de mouillage pour les navires. Il n'y avait pas d'école, quelques chapelles en fort mauvais état et il semble que l'île était fort mal défendue.

Peu étonnant dès lors que les populations fussent victimes de toutes les incursions étrangères.

Un rapport daté du 23 juin 1689, nous décrit ainsi ses défenses.

« J'ai trouvé dans la dite île des tranchées le long du bord de mer au quartier de Public où il y a deux batteries sur un rocher, l'une de 6, l'autre de 21 sans affûts. Plus bas dans la maison du sieur Mayencourt, un petit fort terrassé dans lequel il y a trois pièces de canons qui sont également sans affûts. Un petit magasin de maçonnerie, qu'il a fait faire par les nègres, lesquels m'ont parus être très zélés pour le service de Sa Majesté. Dans le magasin, il s'est trouvé quelques munitions, poudre à mousquet, balles de plomb, cent dix boulets, et un peu de mèche pour distribuer aux habitants dans le besoin.

Au quartier de St-Jean, sur un petit îlet, un corps de garde et une pièce de canon de 2 litres. »

Jusque-là assez épargnés, les Saint-Barth trouvaient qu'il faisait bon vivre sur leur rocher aux maigres ressources, et s'efforçaient de survivre. La guerre de la ligue d'Augsbourg fut la pire calamité qu'ils eurent à subir. Jugés trop faibles pour se défendre, les malheureux habitants furent à nouveau évacués sur St-Christophe que les Anglais ne tardèrent d'ailleurs pas à reprendre. Epuisés après avoir été ainsi ballotés en tous sens, la presque totalité des habitants

In those uncertain times, St.Barthélémy could be divid[ed] into two areas: the King's district, covering the northe[rn] part of the island, and the district of Orleans, in [the] southern part. And, of course, the port of Carénage, [the] usual mooring ground for shipping. There was no schoo[l], few chapels in bad repair, and apparently the islan[d's] defences were very poor. No wonder the population [fell] victim to every foreign incursion.

A report dated June 23 1689 describes its defences thus: "On the aforesaid island I found trenches along the coast [in] the district of Public where there are two batteries [of] cannon on a rock, one of six, the other of 21 and [no] gun-carriages. Further inland, in the house of a cert[ain] Mayencourt, is a small terraced fort in which there are thr[ee] cannon, again with no carriage. Also a small stone sh[op] which he had built by the negroes, who seem to show gr[eat] zeal in serving His Majesty. In the shop there weere so[me] ammunition, musket-powder, lead bullets, one hundr[ed] and ten cannon-balls, and some fuses to be distribut[ed] among the inhabitants in case of need. In the St.Jo[hn] district, on a small islet: a guard-house and a 2-li[tre] cannon."

Hitherto spared to a certain extent, the people of St.Ba[rth] found life pleasant on their rock in spite of its limit[ed] resources, and survived as best they could.

The War of the Augsburg League was the worst calamity [to] hit them. As they were considered too weak to defe[nd] themselves, they were once again evacuated to St.K[itts] which the English were not long in recapturing. Exhaust[ed] from being moved from one place to another, nearly all t[he] inhabitants went back home to their little island, only [to] find it had been ransacked by pirates.

gagna l'îlot qu'ils trouvèrent mis à sac par les flibustiers.
...glais, Français, Hollandais et Espagnols continuèrent à
... faire une guerre meurtrière. Les Anglais ayant à ce
...ment la maîtrise des mers, le Gouverneur Général
...ilipaux adresse à Louis XIV la suggestion suivante : « Il
... faut pas croire qu'à la moindre guerre, St-Martin et
...Barthélémy puissent être contenus. »
... prudence, autant que par économie, il conseillait « De
... point entretenir de garnisons, de milice, et de ne point
...mmer de commandant, de ne point y installer de batte-
..., »

...écautions qui ne furent pas réellement suivies puisqu'on
...commanda aux St-Barth de planter des cactus le long
...s côtes pour contenir d'éventuels envahisseurs. Tout
...la n'était pas très sérieux. C'est ainsi que l'île devint peu
...peu un des repaires préférés des pirates, des corsaires et
...s aventuriers de tout poil. Les St-Barth, déjà rompus à
...tes les vicissitudes, firent plutôt bon accueil à ces
...mmes sales, dépenaillés, habillés de bric et de broc,
...rtant à la ceinture un sabre fort, quelques couteaux ou
...ils.

...appât du gain, le culot, leur hargne et le tafia les
...daient pourtant redoutables mais, pilleurs de gallions
...pagnols, ils n'étaient jamais démunis de monnaie son-
...nte et trébuchante.

...garda les femmes et les filles à bonne distance et l'on
...mmerça.

English, French, Dutch and Spanish continued to wage
bloody war against each other. As the English had control
of the sea at this time, the Governor General Philipaux
made the following suggestion to Louis XIV: "It would be a
mistake to think that in the event of war, on however minor
a scale, St.Martin and St.Barthélémy could be contained."
Motivated by caution as much as by economy, his advice
was "not to maintain garrisons or militias, not to appoint a
commander, not to set up any batteries there."
These precautions were not really heeded, as the people of
St.Barth were urged to plant cacti along the coast to hold
back any invaders. Not a very responsible attitude. This is
how the island gradually became one of the favorite
hide-outs for pirates, privateers and all kinds of adventurers.
Inured by now to all these trials and tribulations, the
islanders extended a fairly warm welcome to these rough
and ready men, dirty as they were were, dressed in tatters,
with a cutlass, knives or guns tucked into their belts.
Although the lure of riches, their temerity, their aggressive-
ness, plus a dash of tafia, made them men to be feared,
they were never short of 'coins of the realm', thanks to
their looting of Spanish galleons. So wives and daughters
were kept at a safe distance and business went ahead.

Excédé par les rapines et les guerres qui les avaient dépouillés, bien des St-Barth se firent alors corsaires à leur tour.

Embusqués dans leur repaire bien abrité de Carénage, ils se dédommageaient à leur manière sur les navires de commerce anglais qui s'aventuraient dans les parages, ce qui réjouissait également les requins. L'île connut en cette époque troublée le passage de bien des « frères de la côte ».

Laurent Graff, Jean-Baptiste Nau dit L'Olonnais, le Hollandais Van Horn, le féroce Morgan et bien d'autres encore.

Des femmes aussi, redoutables aux combats et à l'abordage, les Anne Dieuleveut, Jacotte Delahaye et autres Anne Bonney qui entrèrent dans la légende vinrent peut-être radouber là.

Enfin Montbars, l'exterminateur, ce genthilhomme gascon qui éprouvait une haine si irrépressible pour les Espagnols qu'il se souciait moins du butin que du nombre de gorges à trancher.

Une grotte près de l'anse du Gouverneur porte son nom.

La légende dit qu'il aurait enterré son butin sur l'île. Ce trésor semble toujours protégé par l'âme du prisonnier qu'il sacrifia peut-être sur place. Les routes des trésors sont toujours jonchées de cadavres.

Exasperated by the plundering and wars that had impove shed them, quite a few of the people of St.Barth took piracy themselves. Lying in ambush in their well-protect hide-out of Carénage, they made good their losses in th own way, at the expense of the English trade ships whi ventured into their waters, much to the satisfaction of t sharks. During this troubled period this island was freque tly visited by the 'coastal brethren', as the pirates we known: Laurent Graff, Jean-Baptiste Nau nick-named t Lolonnais, the Dutchman Van Horn, the ferocious Morg and many others. Women too were feared in combat a piracy: Anne Dieuleveut, Jacotte Delahaye, Anne Bonn and others, legendary figures who may also have anchor there to refit their ships.

And finally, Montbars the exterminator, the gentlem from Gascony, whose hatred of the Spanish was so ir pressible that he cared less about the spoils than about t number of throats to be slit. A cave near l'Anse Gouverneur (or Governor's Cove) has been named af him. Legend has it that he probably hid his booty on t island. This treasure still appears to be protected today the soul of the prisoner he may have sacrificed there. Pat leading to treasure are always strewn with corpses.

plupart des familles St-Barth, petits cultivateurs, vivait
dehors de tout ce tumulte.

-delà de leurs mornes, difficilement accessibles, proté
par des savanes de cactus-cierges et de raquettes,
nse de Carénage prit un certain essor. Sous l'impulsion
ces forbans venus de tous horizons, un petit bourg
nait peu à peu naissance, fait de tavernes de bouges et
res maisons de plaisir.

elques entrepôts de maisons de commerce, artisans
rpentier ou voilier complètaient le paysage. Une faune
arrée encombrait des ruelles boueuses. Tandis que
chés en carène les navires étaient calfatés, l'excellent
s de gaïac n'avait pas son pareil pour le doublage des
mbrures rompues lors des abordages.

nais l'on ne se mélangea avec ces « maudits étrangers ».
était « moun »* St-Barth, que diable ! Et, on le resta,
servant toute cette agitation à distance.
sonne ne fit fortune.

is certains se trouvèrent un tout petit peu mieux chaus-
.

However most of the small farmers of St.Barth did not get
caught up in this turmoil.

On the other side of the hills, protected by expanses of
grassland, with giant cacti and prickly-pears, making access
difficult, the cove of Carénage was undergoing a period of
expansion. Through the impetus given by these pirates
from all over the world, a small town was gradually
emerging, with taverns, brothels and various houses of
ill-fame.

To complete the picture there were a few ware-houses
belonging to the trading companies, shipwrights and sail-
makers. A motley crowd filled the muddy alley-ways. Ships
were careened for caulking; the excellent wood of the
guaiacum tree could not be equalled when it came to
sheathing ships' ribs, damaged in the course of collisions.

But the local people never mixed with these "damned
foreigners". They were St.Barth lads, and the devil take the
rest. And so they remained, observing all this agitation
from a distance. Nobody made their fortune.

But some did manage to improve slightly the quality of
their foot-wear.

Gars

Les corsaires avaient peu de raison d'opprimer les St-Barth, qui les ravitaillaient au mieux de leurs possibilités. L'île s'organisa peu à peu, et vécut ainsi un tiers de siècle dans une paix relative.

Les Anglais n'appréciaient pas les brigandages des St-Barth et des corsaires, oubliant qu'ils en faisaient autant.

Ils attaquèrent l'île en 1744. Les engagements durèrent plusieurs jours. Les Barth mirent de côté leurs querelles intestines et participèrent vaillamment au combat.

Le commandant de la milice, un dénommé *Gréaux* fut tué le troisième jour. Désorganisés et submergés par le nombre, les habitants se rendirent. Les Anglais étaient furieux car leurs pertes étaient importantes. Ils capturèrent les corsaires français et installèrent les leurs à Carénage. Ensuite, la flotte reprit la mer.

The corsairs had little cause to oppress the local people, who supplied them with fresh provisions to the best of their ability. Life on the island gradually became organised and was relatively peaceful for a third of a century.

The English did not appreciate being looted by both the islanders and the pirates, forgetting that they were doing the same thing. They attacked the island in 1744. The fighting lasted several days. The inhabitants suspended their feuds and put up a brave fight.

The commander of the militia, of the name of Gréaux was killed on the third day. Disorganised and overwhelmed in number, the islanders surrendered.

The English were furious, for their losses were great. They captured the French corsairs and replaced them with their own in Carénage. After which the fleet set sail again.

s corsaires se livrèrent à un pillage en règle, violant,
portant esclaves, récoltes, bétail, et jusqu'au bois des
es. Certains malheureux se terraient dans les grottes où
avaient l'habitude de récolter le « guano » de chauve-
ris, pour fumer leurs terres. Vinrent à nouveau les
portations vers St-Christophe. Mis au courant de toutes
exactions, le gouverneur anglais de cette île, blâma ces
ès et laissa repartir les St-Barth.

s malheureux eurent encore à subir de 1741 à 1748 la
erre de succession d'Autriche. Massacre, exode, pillage.
Barth était exangue, la confusion totale.

1750, un émissaire français ne put que constater le
sastre.

e m'informai de quelle nation l'habitait, et j'appris,
elle l'était par quelques Français. Le sieur Gréaux que
habitants ont choisi pour les commander m'apprit que
une convention faite au commencement de la guerre, il
stipulé que les habitants resteraient à l'abri à condition
fournir du bois de gaïac. Le colonel anglais, dont
éaux ne se souvient plus du nom, n'avait pas respecté
te convention et les trois corsaires enlevèrent 400 nè-
s, se saisirent de toutes les marchandises, et transportè-
t les Français, après les avoir dépouillés dans différentes
s, de sorte que ces malheureux ont été dispersés, au
int qu'il n'en reste que 30. Les Anglais ont détruit les
is de gaïac qui étaient leur seule ressource.

ont détruit leurs citernes et leurs puits. Les habitants
ont que l'eau fournie par quelques roches creusées
turellement. Je lui demandai quel motif pouvait l'avoir
terminé à rester. Il me dit qu'il avait été déterminé par
mour de la patrie, une petite possession qu'il tenait de
s ancêtres, et que d'ailleurs il n'avait pas entrevu
autre ressource.

ais obstinément, les St-Barth revenaient. L'histoire qui
vageait leur île semblait glisser sur eux. Vint la guerre de
pt ans et son cortège de massacres, pillages, exode à
uveau.

Theses pirates set about their regular plundering, which
included rape and the confiscation of slaves, crops, cattle
and even timber from the cabins. Some poor wretches
took to the caves where they usually collected the guano of
bats with which to fertilize their lands. Then came the
deportations to St.Kitts once again. On being informed of
these exactions, the English governor of this island
condemned them and allowed the inhabitants of St.Barth
to return home. But they still had to face the Austrian war
of succession from 1741-1748: further massacring, exodus
and plundering. St.Barth was by now in a state of total rack
and ruin. In 1750 a French emissary could only describe
the disaster thus:

"I enquired what people lived on this island and was
informed they were French. A gentleman called Gréaux,
chosen by the inhabitants as their commander, told me that
in a convention agreed at the beginning of the war, it was
stipulated that the inhabitants would not be involved as
long as they supplied guiaiacum wood. The English colonel, whose name Gréaux no longer recalled, had not
respected this agreement, and the three pirate ships captured 400 negroes, confiscated all the merchandise and, after
stripping them of their belongings, carried away the French
population to various islands; thus these poor wretches
were dispersed, and only 30 remain. The English destroyed
the guaiacum woods, which were their only livelihood.
They destroyed their cisterns and wells. The inhabitants
now have only the water to be found in a few hollow rocks.
I asked him what incentive could have led him to stay. He
told me that he had been motivated by love of his country
and of a small property which had been handed down to
him by his ancestors; besides, he could see no alternative."
But doggedly the people of St.Barth made their way back.
The course of history, which was devastating their island,
seemed not to affect them.

Then came the Seven Year War, bringing in its wake
further massacres, plundering and exodus.

Si l'île fut finalement restituée à la France, ce fut grâce à une omission dans les traités de paix. On l'avait carrément oubliée. Lorsque Descoudrelles, en 1763, en reçut le commandement, les 110 habitants étaient dans un dénuement extrême. Il fit renforcer les défenses de Carenage et de St-Jean et tenta un repeuplement. En 1767, beaucoup d'exilés étaient revenus, si bien qu'on en compta 569.

En cette île, tous ou presque travaillent la terre, hommes et enfants. C'est la seule colonie établie dans le nouveau monde où des hommes daignent partager des travaux d'agriculture avec les esclaves. « Les mœurs sont très françaises, les St-Barth sont très bonnes gens, très pauvres, honnêtes, assez ignorants, et fort tracassiers. »

Tracassiers, ils l'étaient. Cette malheureuse population donnait l'impression d'une communauté repliée sur elle-même où les particularismes s'étaient exaspérés. Cloisonnement région au vent contre région sous le vent, particularité quartier par quartier, famille par famille. Ces caractéristiques étaient un peu le miroir de la grande variété des paysages que l'île propose, ainsi que de son histoire cruelle.

Au gré des déportations et retours au pays, relevant leurs propriétés de leurs ruines, on vit les bornes se déplacer mystérieusement, quand on n'annexait pas carrément la terre du voisin.

Les surfaces cultivables étant très limitées, l'instinct de propriété se développait singulièrement. Les administrations étaient submergées de contestations concernant des droits de passage ou d'accès aux puits. Certains réglaient leur différend par le feu et parfois même à coup de coutelas. Les familles construisirent des murs d'un mètre de hauteur, faits de pierres sèches ou de madrépores qui leur permettaient de marquer leur territoire tout en les protégeant du maraudage des bêtes et de l'érosion excessive sur ces terrains pentus. Bref, on ne se sentait vraiment bien que chez soi. Et l'on allait rarement prendre mari ou femme dans une paroisse autre que la sienne. Si les hommes de sous le vent « montaient » parfois prendre femmes au vent, le contraire était très rare. Les paysans St-Barth ressemblaient très fort à cette époque à leurs cousins de France.

If the island was eventually retroceded to France, it w thanks to an omission in the peace treaties. It was pur and simply overlooked. When Descoudereiles was gi command in 1763, the 110 inhabitants were totally dest te. He had the defences in Carénage and St.John stre thened and attempted to repeople the island. By 17 many exiles had returned, taking the numbers up to 569 On this island nearly everyone worked on the land, m and children alike. It was the only colony set up in the N World where men condescended to share their agricultu activities with slaves. "The customs are very French, people of St.Barth are worthy, very poor, honest, relativ uneducated and exceedingly cantankerous." Cantankero was not the word for it! This hapless community gave impression of being so inward-looking that its characteris features had become exacerbated. There were divisio between leeward region and windward region, betwe the particularities of one district and those of anoth between families. To a certain extent, this particulari reflected the great variety of landscapes the island off and its cruel history. In the wake of deportations a homecomings to retrieve property from the ruins, boun ries were modified mysteriously, and occasionally t neighbour's land was annexed, no more no less.

As the arable land was very limited, the notion of priva property became of acute importance. The administrati services were inundated with disputes over rights of way access to wells. These were sometimes settled by resorti to fire-arms or even cutlasses. Families built walls three f high out of dry stones or madrepores to mark out th territory, while simultaneously protecting themselves fr marauding animals and excessive erosion of the slopes. fact, home was the only safe place. People rarely took husband or wife from a different parish. If the men from t leeside sometimes came up to find themselves a wife fro the windward side, the contrary was very rare. The peasa of St.Barth at this time closely resembled their cousins France.

Quinze ans plus tard, ils sont 739 âmes et leur sort ne semble pas amélioré.

« Il y a dans l'île que 5 ou 6 familles différentes, normandes d'origine. Ils ont beaucoup multiplié et se marient toujours sans sortir de leur île. Leur misère ne peut aller plus loin.

A travers des halliers épais, on arrive par des sentiers détournés, à une mauvaise case où résident un homme et une femme avec 7 à 8 enfants qui, le jour, travaillent comme des nègres, et la nuit, se couchent pêle-mêle. Un nègre esclave sert de médecin dans l'île, il a la confiance de tout le monde. Un Européen marié à St-Barthélémy sert d'écrivain, de notaire, et règle les affaires des habitants. Elles sont en mauvaises mains, attendu que c'est « un ivrogne ».

Ceci explique peut-être cela.

Fifteen years later the island numbered 739 souls and their lot had not apparently improved.

"There are 5 or 6 different families on the island, of Norman origin. They have considerably increased their number and always marry without leaving their island. Their state of poverty is extreme. Their poor cabin can only be reached after crossing thickets of cactus and following roundabout paths; inside live a man and a woman with 7 or 8 children who work like slaves during the day and sleep pell-mell at night. A negro slave is the island's doctor, everyone has faith in him. A European who married locally acts as scribe, notary and handles the islanders' business. Their affairs are in bad shape, as this person is a drunkard".

Perhaps the latter accounts for the former!

L'administration de Descouderelles fut excellente. Le sort des St-Barth s'améliora peu à peu. Une plantation de canne à sucre fut même tentée à St-Jean.

Il est certain que le sort de ces braves gens ne devait pas préoccuper beaucoup la France. En effet en 1784, le comte de Vergennes persuade Louis XVI d'un troc assez alléchant.

L'île de St-Barthélémy contre des entrepôts au port de Göteborg en Suède.

Gustave III et Louis XVI signèrent le traité scellant leur volonté à Versailles le 7 mars 1785.

Descouderelles' administration of the island was excelle Little by little the islanders' fate improved. An experimen sugar-cane plantation was even created in St.John.

It is certain that what became of these brave people did n unduly preoccupy France. Indeed, in 1784 the Count Vergennes persuaded Louis XVI to go ahead with a tem ting swap: the island of St.Barthélémy in exchange f some warehouses in the port of Göteborg in Sweden.

Gustave III and Louis XVI signed the treaty that sealed the agreement in Versailles on March 7 1785.

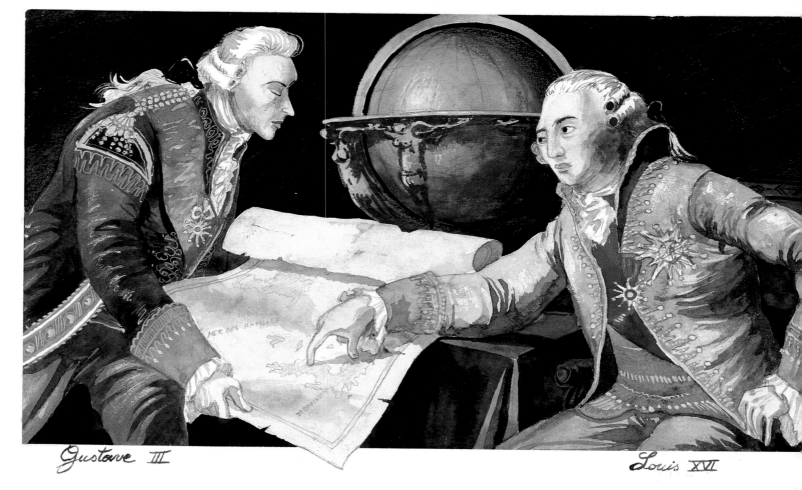

Gustave III

Louis XVI

nouveau gouverneur Salomon Mauritz von Rayalin rebaptisa le port de
rénage Gustavia. On accorda à toutes les nations la libre entrée au port et
emption de droits de douane, l'île était déclarée port franc.

elques années plus tard, Gustave III décida que les St-Barth étant très
nunis, seraient exonérés d'impôts. Les St-Barth en prirent acte et retournèrent
urs carrés de coton, qui bien que d'un rendement assez faible étaient leur
ncipale ressource. Gustavia prit un essor considérable, ces bons choix écono-
ques permirent au rocher entre 1795 et 1820, d'envoyer à la Suède près de
00 000 de couronnes. Plusieurs milliers de navires transitaient à Gustavia
que année. C'est lâge d'or. Sur ses deux rives, Gustavia se couvre de
elques 370 bâtiments. A l'Est, des rues bien ordonnées et pavées, bordées de
isons de style suédois, des quais bien aménagés. Sur la rive occidentale, le
artier de La Pointe devenait avec ses hangars et entrepôts le centre de l'activité
rtuaire et des réparations navales. Une capitale était née. Avec son afflux de
nmerçants, d'étrangers et d'aventuriers, dans son développement économi-
, Gustavia compta jusqu'à 3 881 résidents.

était une excroissance étrangère poussée au flanc du rocher.

Suédois eurent la sagesse rare à l'époque de respecter scrupuleusement les
nions très religieuses des habitants. L'on vit les quelques chapelles devenir
ises, et si par la suite ils implantèrent un temple luthérien et méthodiste, ce fut
tout en raison de la présence d'une importante communauté suédoise. Les
Barth vécurent en paix bien que très en marge de la prospérité de Gustavia, et
contractèrent aucune union avec eux.

ules traces de leur passage, de belles demeures, le clôcher suédois, l'actuelle
us-préfecture, Fort Octave, les citernes publiques qu'ils firent construire et
elques ruines encore visibles, souvenirs d'une époque révolue.

*e new governor, Salomon Mauritz von Rayalin, gave the
t of Carénage the new name of Gustavia.*

nations were allowed to enter the port freely and were
mpted from customs dues as the island was declared a
e port. A few years later Gustave III decided that the
ple of St.Barth were so impoverished that they would
exempted from paying taxes. Note was taken of this
cision and they returned to their patches of cotton
ich, however small their yield, were their only source of
enue. Gustavia underwent considerable expansion; wise
nomic decisions enabled the island to send Sweden
ost 4,000,000 crowns during the period 1795-1820.
eral thousand ships passed through Gustavia each
r. It was the golden age. Some 370 buildings grew up
both shores of Gustavia. On the eastern side the streets
re regular and paved, lined with Swedish-style houses
d proper quays. On the west bank the district known as
Pointe, with its warehouses and sheds, became the
ter of the port's activity, in particular for naval repairs.
apital had been born. This economic expansion brought
h it shop-keepers, foreigners and adventurers, and Gus-
ia's resident population reached the figure of 3881.
e port became a strange protuberance on the rocky
nk of the island.
e Swedes showed unusual wisdom for the times in
pecting scrupulously the islanders' religious beliefs.
me chapels became churches, but when a Lutheran
thodist Church was subsequently set up, it was mainly
e to the presence of a large Swedish community. The
al inhabitants lived in peace, but remained unaffected
the prosperity of Gustavia; moreover there were no
xed marriages.
e only remaining traces of the Swedish presence today
a few fine old houses, the belfry, the present sub-prefec-
e, Fort Octave, the public water-cisterns which they had
ilt, and a few visible ruins, reminders of a past era.

La période suédoise ne fut cependant pas sans heurts. Lors de la révolution française, les esprits étaient échauffés par les idées républicaines.

Les rapports entre les St-Barth et les Suédois s'altérèrent. Les gens des campagnes refusaient de réparer les routes et les chemins. Quant aux hommes de la milice, un grand nombre se déclarait malade en cas de crise.

Les turbulents corsaires qui continuaient de se ravitailler à Gustavia posaient de sérieux problèmes aux navires anglais, et le 20 mars 1801, on vit une flotte de guerre britannique paraître devant St-Barthélémy. Il fut donné un délai d'une heure pour une reddition totale. Les Suédois firent sonner le tocsin et l'on appela la population à épauler la garnison. Personne ne devait être enthousiasmé à l'idée de se sacrifier dans un combat aussi inégal, puisque seulement une trentaine d'hommes se présentèrent. L'île étant hors d'état de se défendre, elle fut remise le lendemain au commandant de l'escadre anglaise. Malgré la neutralité de la Suède, et au mépris de tous les traités, les Anglais exigèrent serment de fidélité. Trois mois plus tard, de nouveaux accords étant intervenus, l'on retrouva le giron suédois.

Enfin, sous l'Empire, Napoléon qui n'appréciait pas les subtilités du statut de port-franc de Gustavia, lâcha ses corsaires, alors inoccupés. Ils capturèrent plusieurs centaines de bateaux.

However the Swedish period was not all smooth. At the time of the French revolution, minds were fired by republican ideas. Relations between the islanders and the Swedes deteriorated. The country people refused to carry on maintenance work on the roads and paths. As for the militia men, many declared themselves sick, in case things came to a head.

The turbulent pirates who continued to call at Gustavia to get fresh supplies posed serious problems for the English ships; on March 20 1801 a fleet of British warships appeared off St.Barthélémy. Orders were given for a total surrender within one hour.

The Swedes sounded the tocsin and the population was summoned to back up the garrison. Nobody can have felt much enthusiasm at the idea of sacrificing himself in such an unequal fight, for only thirty or so men actually showed up. As the island was in no position to defend itself, it was handed over to the commander of the English squadron the following day. In spite of Sweden's neutrality, and in defiance of all the treaties, the English demanded an oath of alliegeance. Three months later, after new agreements had been reached, Swedish sovereignty was restored.

Finally, under the empire, Napoleon, who did not look favorably on the subtleties of Gustavia's status of free port, let loose his corsairs, idle at the time. They captured several hundred boats.

gouverneur Bergstadt était haï des St-Barth. Pour mater
émeute consécutive à la dissolution de la milice, il
ésita pas à tourner ses canons sur la ville. Le sergent-ma-
Auguste Nyman refusant d'obtempérer, temporisa et
ndit que les esprits échauffés s'apaisent. Gustavia fut
si épargnée et Nyman considéré comme un héros.
atre ans plus tard, à sa mort, une foule énorme accom-
gna ses cendres qu'on avait mises dans une belle urne
l'on plaça au haut d'une colonne de marbre, sur une
line qui domine le port.
1815, la guerre est terminée en Europe. Certaines îles
nme St-Thomas et Ste-Croix se trouvèrent mieux pla-
s sur les routes maritimes et se substituèrent à St-Barth
t ce fut le déclin.

Governor Bergstadt was hated by the people of St.Barth.
*He did not hesistate to turn his cannon on the town in
order to quell a riot, following the dissolution of the militia.
Sergeant Major Augustus Nyman refused to obey orders,
played for time and waited until feelings had subsided.
Thus Gustavia was spared and Nyman considered a hero.
Four years later, when he died, a huge crowd accompanied
his ashes, deposited in a beautiful urn, to a hill overlooking
the port, where they were placed on top of a marble
column.
In 1815 the war in Europe was over. Certain islands such
as St.Thomas or Santa Cruz were found to be more
conveniently located on the shipping routes and were
preferred to St.Barthélémy, thus bringing about its decline.*

Puis, se succédèrent une série de catastrophes. D'abord, une sècheresse épouvantable suivie de cyclones. Enfin, des pluies torrentielles. Une épidémie de fièvre jaune s'abattit sur la population qui fut décimée.

Then came a succession of disasters. First of all, a terrible drought, followed by hurricanes and finally torrential rains. An outbreak of yellow fever hit the population, decimating their numbers.

En 1852, un incendie d'une rare violence ravage toute la partie sud de Gustavia, détruisant plusieurs centaines de maisons.
Décidément, la nature s'acharnait. Plusieurs violents tremblements de terre achevèrent les destructions.

In 1852 a fire of unusual violence devastated the whole of the southern part of Gustavia, destroying several hundred houses. Nature's fury proved to be unrelenting, for several violent earthquakes completed this period of destruction.

Lorsqu'en 1847 vint l'abolition de l'esclavage, ce changement immense se fit sans heurt. La preuve en est qu'à l'époque, la garnison était réduite à un lieutenant, un caporal et 18 soldats. Les St-Barth ne pouvant pas se payer de main-d'œuvre, les Noirs sans ressource durent pour la plupart émigrer vers d'autres îles.

En 1876, Oscar II de Suède cherche à se débarrasser de cette petite possession lointaine devenue coûteuse et encombrante. Après quelques démarches infructueuses auprès des Etats-Unis d'Amérique et de l'Italie, il trouve une oreille attentive auprès de Jules Ferry qui prépare alors la grande politique coloniale de la France.

En 1877, la Suède rétrocède St-Barthélémy à la France par le traité du 10 août. Un plebiscite ratifia cette décision sans équivoque par 351 voix contre une, les notables de l'île approuvèrent ce transfert.

Le roi Oscar II, assez désintéressé en cette circonstance, réserva une somme de 400 louis d'or pour la construction d'un hôpital.

Cette somme, pourtant remise à la France, ne parvint jamais à ses destinataires.

Le 16 mars 1878, le drapeau suédois flotta pour la dernière fois. Le jour même un nouveau gouverneur M. Couturier adressa à la population une vibrante proclamation. St-Barth était rattachée à la Guadeloupe.

1847 brought the abolition of slavery, but this enormou transformation went smoothly. As evidence of this, th garrison at that time was reduced to one lieutenant, on corporal and 18 soldiers. As the local people could no afford paid workers, the destitute negroes had no alterna tive for the most part but to emigrate to other islands.

In 1876 Oscar II of Sweden was trying to get rid of th distant little possession which had become a costly nuisance After several fruitless contacts with the United States o America and Italy, he found a more attentive listener i Jules Ferry, who was at the time preparing France's grea colonial policy. In 1877 Sweden handed St.Barthélém back to France, under the treaty of August 10. A plebiscit ratified this decision unequivocally by 351 votes to one and the island's notabilities approved of this transfer.

King Oscar II, who showed little interest in this event, pu aside the sum of 400 gold louis for the building of hospital. Although this money was handed over to France it never reached its destination.

On March 16 1878 the Swedish flag was hoisted for the las time. The same day a new governor, Monsieur Couturier addressed the population in a stirring proclamation, afte which he showed no further interest in the fate of his nev citizens, and administratively St.Barth became part of Gua deloupe.

Après la rétrocession, les St-Barth vécurent en paix mais toujours aussi pauvrement, fiers de leur ascendance et jaloux de leur mode de vie. La famille, souvent très étendue, exerce sur chacun de ses membres une très grande tutelle, particulièrement sur les jeunes filles.

Pour rencontrer l'élue de son cœur, le jeune homme devait probablement user de toutes sortes de stratagèmes car il eut été inconvenant de les laisser, ne fut-ce qu'une minute, seuls ensemble. Messes, mariages, enterrements et fêtes locales étaient autant de possibilités de rencontres.

Pour les jours ordinaires, il restait la possibilité de se trouver par hasard près du puits à l'heure où la belle venait y « faire » de l'eau.

Même pendant les fiançailles, qui étaient fort longues, il n'était pas question de se trouver en tête à tête. On ne se mariait pas avant d'avoir construit sa maison.

After the retrocession, the people of St.Barth lived in peace but still in poverty, proud of their ancestry and fervently attached to their way of life.

The family unit, which often had large ramifications, exercised close supervision over each of its members, particularly the young ladies. In order to meet his sweet-heart the young man probably had to resort to all kinds of stratagems, for it would have been considered improper to leave them together on their own, if only for a minute. Mass, weddings, funerals and local fêtes were so many opportunities for them to meet.

On ordinary days there remained the possibility of meeting by chance near the well when the young lady went there to fetch water. Even during the long engagement, tête-à-tête encounters were out of the question. And there was no wedding until the house had been built.

La vie était généralement calme. Le soir ou le dimanche après-midi, parents et amis se réunissaient pour discuter et écouter les histoires que racontaient les vieux, les « gangans », toujours très respectés. Le temps s'écoulait, sans aucun drame, si ce n'est quelques disputes à propos des limites des terres ou des ravages occasionnés par les cabris.

On mangeait la cassave, galette de manioc râpé ou pilé, des ventrée de cabri, poissons ou volailles, accompagnés d'ignames, christophines, patates ou fèves. Le jardin familial fournissait les herbes aromatiques, et les fruits, cajous, cocos, tamarins, corossols, maubins, quenettes, etc.

L'île comptant plusieurs salines, plutôt que boucaner, on salait les viandes et poissons pour leur conservation.

Quant aux enfants, quand ils n'étaient pas aux champs, comme tous les enfants du monde, ils jouaient.

Life was calm on the whole. In the evening, or on Sunday afternoons, relatives and friends got together to talk and listen to the stories told by the old folk, who were held in great esteem. Time passed by uneventfully, apart from the occasional dispute over property limits or damage caused by goats.
The local diet consisted of cassava, a sort of biscuit made from grated or ground manioc, stewed dishes or ' Bellyful of goat's meat, fish or poultry, served with yams, sweet potatoes, beans or chayotes. The vegetable garden provided aromatic herbs and fruit: cashew nuts, coconuts, tamarind fruit, custard-apples and various other local fruits and berries.
The island possessed several salt-flats, so meat and fish were preserved by salting rather than being smoke-dried.
As for the children, when they were not out in the fields, like children the world over they played.

Les salines ont été au travers des siècles pratiquement la seule source d'exportation de l'île. On exploitait les étangs de St-Jean, de Grand-Cul-de-Sac, de Petit-Cul-de-Sac, et principalement de Grande Saline. Leur gestion se transmettait de père en fils.

La récolte se faisait en saison sèche, à l'aide de barres à mine. Un travail épuisant et peu rémunérateur. Il fallait près de deux heures pour remplir un baril d'environ 115 litres. Ce travail était effectué par une quarantaine de personnes, hommes et femmes, dès une heure du matin. Ils avaient les pieds dans l'eau et la température devenait vite insupportable. Vers dix heures, le travail devait être abandonné.

Grande Saline fut exploitée jusqu'en 1970.

Vers 1890, le Père Morvan introduisit le palmier latanier ou « pied d'amarres » ainsi appelé parce qu'autrefois il servait à fabriquer des cordages. Cela procura une importante activité artisanale aux femmes, aux enfants et aux personnes âgées. Les palmes sont récoltées en période de carême, et mises à sécher au soleil avec grand soin. Il suffit d'une goutte d'eau pour « piquer » la palme qui est alors perdue.

Chaque feuille est « tillée » en fines bandes, au couteau, puis tressée en « amarre » souvent d'une très grande finesse puis montée en chapeau. Le travail délicat des panamas était la spécialité de la côte au vent, celui à « tresse roulée » et à « tresse à dent » de la côte sous le vent, principalement à Corossol.

Around 1890 Father Morvan introduced the latania palm tree, nick-named the 'mooring tree' because its leaves were once used for making mooring ropes. This provided a busy craft industry for the women, children and old people. The palm-leaves are harvested during the dry season and very carefully laid out to dry in the sun. One drop of water is enough to pit-mark the leaf, which is then wasted.

Each leaf is cut into narrow strips with a knife, then woven into 'ropes' (which are in fact very delicate strands), and finally shaped into a hat. The windward side specialized in the delicate art of making panama hats, the leeward side Corossol in particular, specialized in rolled and serrated braids.

Over the centuries the salt-works have been the island's almost only source of exports. Salt is extracted from the salt-pans of St.Jean, Grand Cul de Sac, Petit Cul de Sac and the Grande Saline. Management of them has been handed down from father to son. The salt was collected during the dry season, using crowbars. It was exhausting and unrewarding work. It took almost two hours to fill a twenty-five gallon barrel.

This work was carried out by forty or so people, both men and women, who started work at 1 a.m., ankle-deep in water which soon became unbearably hot. By ten o'clock work had to be called off. The Grande Saline was worked until 1970.

élevage fut, dès le début de l'occupation de l'île, une
tivité primordiale. L'extension des savanes le montre
en.

n « larguait » les bovins dans les prés où ils étaient
uvent anéantis par des carêmes prolongés. Les moutons
les cabris s'accommodaient fort bien des halliers à cactus.
tuellement, les cultures sont à peu près inexistantes,
is ce fut pourtant l'activité principale pendant des géné-
ions.

ne culture de subsistance sur de petites parcelles ne
rmettait que des techniques très frustes. La prolifération
s murets donnait à l'île un aspect de bocage.

es terrasses aménagées autorisaient la plantation de co-
n, de tabac et d'arachide, dont la vente permettait
cquisition des quelques produits manufacturés indispen-
bles à la famille.

uelques rangées de maïs aussi, pour faire du « fongui »
i tenait lieu de pain.

ur faire du café, on récoltait les graines de « l'herbe
ante » que l'on torréfiait. La fibre des branches servait à
re des cordes, et la racine avait des vertus médicinales.

aque quartier avait ses spécialités et on pratiquait le troc.

uelques tentatives de culture plus intensives furent tentées
ns succès. Ainsi, le tabac, l'indigo, et surtout l'ananas, qui
s 1840, supplanta même la culture du coton.

espoir fondé sur cette culture fut rapidement déçu. La
oduction s'effondra rapidement pour s'éteindre définiti-
ment trois ans plus tard, les sols étant épuisés.Ce qui ne
qu'accentuer la forte émigration de la population active.

Stock-breeding had been an activity of prime importance
ever since the island was first occupied. as the increasing
area of land turned over to grassland shows.
The cattle were put out to graze in the fields where they
often starved to death. The sheep and goats thrived on the
thickets of cacti.
Although cultivation of crops is practically inexistent today.
it was the main activity for generations.
Subsistence crops were grown on very small plots of land.
using only very primitive farming techniques. The prolifera-
tion of low walls criss-crossing the island was reminiscent of
Normandy.
Specially built terraces allowed cotton. tobacco and
groundnuts to be grown: the revenue they brought in
enabled the family to purchase their limited but vital
manufactured products.
There were a few rows of corn. to make 'fongui'. a bread
substitute. Coffee was obtained by taking the seeds of a
local weed known as 'stinking grass' and then roasting
them. The fibre from the branches was used to make ropes
and the roots had healing properties.
Each district had its own specialties which were bartered.
A few attempts at farming on a more intensive scale were
made but were unsuccessful. Thus tobacco, indigo and in
particular pine-apples replaced the cultivation of cotton as
early as 1840. The hopes placed in this type of crop were
soon shattered. The output declined rapidly and three
years later it had been abandoned for good, as the soil had
become sterile. This only added to the already high emigration of the working population.

Contrairement à l'agriculture, les conditions naturelles étaient plus favorables à la pêche, le long des quelques 40 km de côtes.

Aussi, ces produits représentaient-ils la base de l'alimentation des St-Barth principalement sous le vent où les anses étaient bien abritées. Elle se pratiquait en gommiers, pirogues à voile, importées de Dominique et plus tard, en doris, petites barques plates adaptées à la proximité du rivage.

Les moins fortunés se construisaient des pripris, sortes de petits radeaux faits de troncs d'agaves. Chaque équipage était habituellement composé de trois hommes, les bénéfices étaient également répartis entre eux, plus une part destinée à l'entretien du bateau.

On pêchait à l'épervier, à la nasse et la tortue à la « folle ».

L'éloignement de l'île ne permettait pas une exportation intensive, la plus grande partie des produits était vendue et surtout échangée sur l'île, le surplus étant salé.

Quant à la langouste, elle n'était pas consommée et on l'utilisait comme appât.

La pêche, depuis toujours, est menacée par la toxicité de certains poissons.

Au sud de l'île, toutes les variétés furent même considérées comme inconsommables. Aussi, les acheteurs extérieurs ne se pressèrent-ils pas.

Natural conditions were more favorable to fishing than agriculture, along the 25 miles or so of coastline.

Consequently fish constituted the staple diet of the islanders, particulary on the leeside where the coves were more sheltered. Fishing was carried out in sailing canoes imported from Dominica, known as 'gommiers', and, later, dories, small flat-bottomed boats suitable for in-shore fishing.

Those of lesser means built themselves 'pripris', the name given to a sort of small raft made from the trunks of aloês.

Usually the crew consisted of three men: the profits were shared equally between them, and a part was set aside for maintenance of the boat.

They used casting nets, hoop nets and turtles, and square wide-meshed fishing nets.

The relative remoteness of the island excluded intensive exporting, so most of the catch was sold and above all bartered on the island; any surplus was salted.

Crayfish, or spiny lobsters, were not considered edible, and were used as bait.

But fishing has always been threatened by the toxicity of certain species.

In the southern part of the island all fish were considered inedible. Naturally this deterred potential purchasers from abroad.

économie de St Barth était incapable d'assurer un niveau
vie décent à l'ensemble de la population. On assista dès
milieu du 19e siècle à une émigration massive vers
autres îles comme St Croix et plus spécialement St Tho-
as dans les îles Vierges. Ces agriculteurs devinrent par la
ite les meilleurs fermiers de l'île, leur quartier fut
nommé "Ma Folie". Ils en possèdent encore acutellement
plus grande partie des terres.

autres, pêcheurs, s'établirent dans la capitale et fondè-
nt un quartier appelé "Carénage" en souvenir de
Barth.

conservèrent leurs traditions et, aujourd'hui encore,
rlent français entre eux.

eaucoup n'émigrèrent que temporairement mais tous
dèrent énormément à la survie de l'île, envoyant de
rgent à leurs familles particulièrement ceux dont l'épouse
les enfants étaient restés sur place, attendant leur retour.
ur certains, les Vierges furent un relais vers les Etats-Unis.
est ainsi que la diaspora St Barth a essaimé jusqu'à
ew York et la Floride.

y eut aussi une émigration saisonnière vers les plantations
canne à sucre de St Christophe, aujourd'hui St Kitts.
es hommes faisaient la campagne sucrière pendant 6
ois, puis revenaient s'occuper de leurs terres à St Barth.

r contre, la mentalité des St Barth s'adaptait assez mal au
ilieu rural guadeloupéen et martiniquais. Et très peu se
rigèrent vers les territoires français et la métropole. Ces
nigrations et les mariages contractés à l'extérieur influen-
rent profondément le visage de la population. Les pro-
èmes de succession en furent aggravés, créant des situa-
ns inextricables dont certaines ne sont toujours pas
solues.

The economy of St.Barth could not provide a decent
standard of living for the whole population. From the
beginning of the nineteenth century there was mass emigration to other islands, such as Santa Cruz and, in particular,
St.Thomas in the Virigin Islands. These cultivators subsequently became the island's best farmers; their region was
named "Ma Folie". Today they still own most of the land.

Others, fishermen by trade, settled near the capital and
founded a district known as Carénage, in memory of
St.Barth.

They upheld their traditions and even today still speak
French among themselves.

Many only emigrated temporarily but all contributed enor-
mously to the survival of the island by sending money back
to their families, particularly those who had left their wives
and children behind to await their return.

For some, the Virgin Islands were a step towards the
United States. Thus the diaspora of the people of St.Barth
has spread as far as New York and Florida.

There was also seasonal emigration to the sugar-cane
plantations of St.Cristopher, known today as St.Kitts. The
men worked in the sugar-fields for six months, then returned to work their own land on St.Barth.

But the St.Barth mentality was not well-suited to the rural
environment of Guadeloupe or Martinique. And very few
moved on to the French territories and the metropolis. This
emigration and the marriages contracted abroad profondly
modified the face of the population. Problems of inheri-
tance became more acute, leading to inextricable situa-
tions, some of which have still not been solved.

Cependant la population a toujours été assez nombreuse pour, dès la fin du 17e siècle, occuper les différentes régions, les zones d'habitations se limitant aux dépressions, aux plateaux ainsi qu'à certaines régions littorales.

Dans la partie sous le vent, on construisait des cases en bois et en d'essentes, pour la plupart d'une grande simplicité.

A chaque angle de la case, un pilier de bois de rose ou de gaïac. Pour mieux résister aux cyclones, on s'arrangeait parfois pour construire sa case entre trois ou quatre arbres que l'on rasait à hauteur de toiture, les racines servant d'ancrage. Sur ces cases faites de lattes de bois, on clouait les essentes de bas en haut, des planchettes de bois taillées dans le walaba. Disposées en quinconce, elles assuraient une bonne étanchéité. Si les moyens le permettaient, la toiture était couverte de la même façon, sinon, d'une simple couverture d'herbes sèches qu'il fallait renouveler tous les deux ans. L'habitude de peindre ces cases en couleurs vives vient peut-être des récupérations faites sur les carénages à Gustavia. Elles étaient composées de deux

Yet, from the end of the seventeenth century onwards, the islanders have always been numerous enough to populate the different regions; the inhabited areas have been limited to the lowlands, the plateaux and certain coastal regions. On the leeward side, cabins were built out of wood and shingles, and were for the most part very basic. In each corner of the cabin stood a pillar of rose or guaiacum wood. In order to offer a better resistance to hurricanes, the inhabitants sometimes contrived to build them between three or four trees which were cut down to roof height, the roots serving as anchorage. On top of these wood cabins, starting from the bottom, they nailed the shingles, small wooden slats carved out of wallaba wood. Once positioned in overlapping rows, they afforded a watertight protection. If resources permitted, the roof was covered in the same way; if not, it was covered in a simple layer of dry grasses which had to be replaced every two years. Perhaps the custom of painting these cabins in bright colors comes from the salvaging of materials from the careening operations in Gustavia. The cabins consisted of two or three rooms; the

à trois pièces, le sol en terre battue était soigneusement brossé au balai de latanier. Un banc ou deux, un coffre en étaient tout l'ameublement. On dormait dans des hamacs, ou sur des paillasses, pour les plus fortunés, un haut lit créole à colonnades, à hauteur de fenêtre.

Dans un cagibi séparé, on faisait la cuisine au charbon de bois, sur trois simples pierres. Des gouttières en "karata" fendues en deux récupéraient l'eau si précieuse dans de grandes jarres.

mud floor was carefully swept with a broom made from latania palms. The only furniture was a couple of benches and a chest. The occupants slept in hammocks or on pallets, while the more prosperous had a tall creole bed with colonnades, thus sleeping at window-level.

In a separate recess, meals were cooked over a charcoal fire on three simple stones.

Drainpipes made out of karatas (or silk grass) split in two collected the very precious rain water in large earthenware jars.

s cabrettes, elles, sont caractéristiques de la côte au vent. urs murs très épais sont constitués d'un amalgame de rres, de chaux, et parfois aussi de mélasse afin d'en surer la solidité. Ces petites maisons minuscules et très sses étaient construites de façon à résister efficacement x cyclones. Les ouvertures, très étroites, protégées par gros volets en bois, sont toujours placées du côté abrité vent. Le toit, à deux pans, était recouvert d'essentes. La ute, en recul par rapport au mur, pour donner moins de se à la brise. Le fait que l'on ne retrouve aucune cabrette us le vent vient peut-être de la difficulté qu'il y avait à briquer de la chaux dans cette région dépourvue de yes de madrépores. Ces coraux étaient rassemblés sur la age, brûlés et pilés. La chaux ainsi obtenue était transpor- e dans des paniers jusqu'au chantier souvent très éloigné. tte même tactique est utilisée pour la fabrication de rnes individuelles encore très rares à cette époque.

The dwellings known as 'cabrettes' are characteristic of the windward side. Their very thick walls are made from a mixture of stones, lime and sometimes even molasses to ensure solidity. These tiny low-roofed houses were designed to withstand cyclones. The very narrow openings, protected by thick wooden shutters, are always made in the side that is sheltered from the wind. The roof was shingled; its two sloping sections did not overlap the walls, to prevent the wind from getting underneath. The fact that no 'cabrettes' are to be found on the leeside is perhaps explained by the difficulty of making lime in this region, which has no coral reefs. The coral was collected on the beach, burned and ground. The resulting lime was carried in baskets to the building site, often quite a long distance away.

The same technique was used for making individual water cisterns, which were still very rare at the time.

Il est certain que les dispositions douanières adoptées en faveur des St Barth ont été dans le passé une source importante de profits pour certains. Une flotille de goélettes et de sloops sillona les Caraïbes jusqu'en 1955 où elle fut dévastée par le cyclone Alice. Ce furent, la Marie Stelle, le Cachalot, la Nina, les deux Inès et d'autres encore.

Entre les deux guerres, le commerce et le trafic des produits détaxés fut florissant, et cette activité procura du travail à bien des familles. Alcool et tabac se dissimulaient aisément dans les cargaisons de sel. Lors de la Prohibition aux Etats-Unis, des rencontres étaient organisées en pleine mer où l'on déchargait la marchandise bord à bord.

Cette flotte permettait également l'exportation des bovins élevés à St Barthélémy. Pendant la seconde guerre mondiale, les St Barth, qui avaient des relations privilégiées dans de nombreuses îles, grâce à leurs émigrés, purent s'approvisionner plus ou moins correctement, et venir en aide aux autres îles françaises.

Depuis la rétrocession, la France avait pratiquement oublié cette petite colonie et l'on se débrouillait tant bien que mal. En 1918, lorsque le père hollandais Debruyn fut nommé curé, la population était encore en grande partie illettrée.

Il se démena "comme un beau diable" pour faire construire églises et écoles. Cette personnalité talentueuse et énergique obtint les crédits pour la construction d'un hôpital à Gustavia.

En 1934, tout était terminé grâce aussi au soutien et à la grande solidarité de toute la population.

It is undeniable that the customs arrangements adopted favor of the inhabitants of St.Barth were an importa source of profit for some in the past. A flotilla of schoon and sloops furrowed the seas of the Caribbean as late 1955 when it was devastated by the hurricane Alice. T names of the boats were the Marie Stelle, the Cachalot, Niña, the two Ines's and many others.

Between the two wars trade and smuggling in tax-fr goods flourished, and this activity provided many a fam with work. Alcohol and tobacco were easily concealed the cargoes of salt. During the Prohibition in the Uni States, ships arranged to meet out at sea, and the merch dise was transferred from one vessel to another.

This fleet also enabled the cattle from St.Barthélémy to exported. During the last World War, the people St.Barth, who had special contacts with the emigrants many islands, were able to keep themselves more or l well-supplied and come to the help of the other Fren islands.

Since the retrocession of the island, France had practica forgotten about this small colony, which carried on as b it could. In 1918 when Father Debruyn, a Dutchman, w appointed priest there, the population was still larg illiterate.

He threw himself whole-heartedly into the task of buildi churches and schools. A gifted, energetic person, he obt ned funds for the construction of a hospital in Gustavia.

In 1934, this project was completed, thanks also support and great solidarity of the whole population.

fut un événement considérable lorsque Monsieur Rémy
Hainen, alors conseiller général, atterrit en 1945 pour la
emière fois à St Jean à bord de son Rearwin Sporter
place. Le destin de l'île était en marche.
Barthélemy, terre française, se réveilla de longs siècles
solement. L'aide économique atteignant enfin l'île, le
but du désenclavement s'amorça dès 1960 par l'aména-
ment du port de Gustavia alors ensablé, et l'établisse-
ent de lignes aériennes régulières.
quartier de Public, on fit une centrale électrique et le
seau fut achevé à Petit-Cul-de-Sac en 1972. On construi-
une petite usine de désalinisation d'eau de mer ainsi
'une unité d'incinération d'ordures ménagères.
1968 le réseau routier était d'à peu près 48 km, 350
itures étaient immatriculées.
activité touristique devint peu à peu le moteur de l'éco-
mie, fixant les populations et encourageant le retour de
mbreux émigrés.
conditions de vie s'amélioraient.
nouvelles constructions scolaires permirent à la jeune
nération d'accéder à un meilleur niveau d'instruction.
is l'affairisme immobilier dut faire regretter à beaucoup
voir vendu des terrains trop vite. D'autre part, la forma-
n professionnelle ne pouvant évoluer aussi vite que
nplantation touristique, un apport extérieur devenait
cessaire. Une importante population d'origine métropo-
ine s'établit, investissant tous les secteurs de cette activi-
Une telle adaptation pose forcément certains problèmes
ns une société insulaire très rigide. Il fallut de part et
autre apprendre à se connaître, se respecter et s'appré-
r. Mais tous avaient le désir de participer pleinement au
veloppement économique.

was a notable event when Monsieur Rémy de Hainen,
en an elected regional councillor in France, landed for
e first time in St.Jean in 1945 on board his two-seater
arwin. The destiny of the island was on the move.
Barthélémy, part of French soil, awoke from long centu-
s of isolation. With economic growth finally reaching the
and, it began to emerge from its solitude in 1960 with the
velopment of the port of Gustavia, by then silted up, and
e introduction of regular air-services.
the Public district an electricity generating station was
ilt and the network extended as far as Petit Cul de Sac. A
all plant for the desalinization of sea-water was built,
ng with a unit for the incineration of garbage.
1968 the road network was roughly 30 miles long, and
0 cars were registered.
adually tourism became the mainstay of the economy,
abling the population to stay on the island and encoura-
g many emigrants to return.
ving conditions improved.
w schools provided the young generation with a better
ucation. But property speculation must have made many
ople regret dearly selling their land too soon.
the other hand, as professional training programs could
t keep up with the demands of tourism, outside collabo-
tion became necessary. A considerable number of new-
mers from the metropolis moved in, occupying all sectors
this activity. An adaptation of this kind led necessarily to
rtain problems in such a rigid, insular society. Both sides
d to learn to understand, respect and appreciate one
other. But everyone wanted to take part fully in the
onomic boom.

Aujourd'hui, Gustavia a gardé son charme d'ancienne capitale suédoise et son port est réservé à la plaisance.

Today Gustavia still offers the charm of the former Swedis capital, and its port is now a haven for yachtsmen.

A Public, de nouveaux quais inaugurés en 1987 accueillent les navires marchands. L'île est toujours port franc, la commune percevant un droit de quai de 4 % sur les marchandises débarquées.

In Public new wharves were inaugurated in 1987 for merchant ships. The island is still a free port: the loca. authorities charge wharfage of 4% on the goods handled.

À St Jean, face au monolithe, un nouvel aéroport accueille les milliers de visiteurs chaque année.
De petites unités touristiques, bien intégrées au paysage, respectent le charme de l'île.
Les américains qui représentent plus de 65 % de la clientèle apprécient son côté vieille France, la beauté et la variété de ses paysages.

In St.Jean, opposite the monolith, a new airport welcomes thousands of visitors each year.
Small tourist complexes, well-integrated with the landscape, repect the island's charm. The Americans, who account for 65% of the visitors, appreciate its old-world French atmosphere, and the beauty and variety of its landscapes.

R.C. en cours d'immatriculation

Encore et toujours, ce peuple tellement bousculé par l'histoire est fier de ses origines et de ses traditions.
Il a su protéger son patrimoine tout en s'ouvrant au monde moderne.
Voilà des gens qui méritent notre respect et notre admiration.

More than ever these people, whose destiny has been so buffetted by history, are proud of their origins and traditions.
They have succeeded in safeguarding their heritage while opening up to the modern world.
These are people who deserve our respect and admiration.

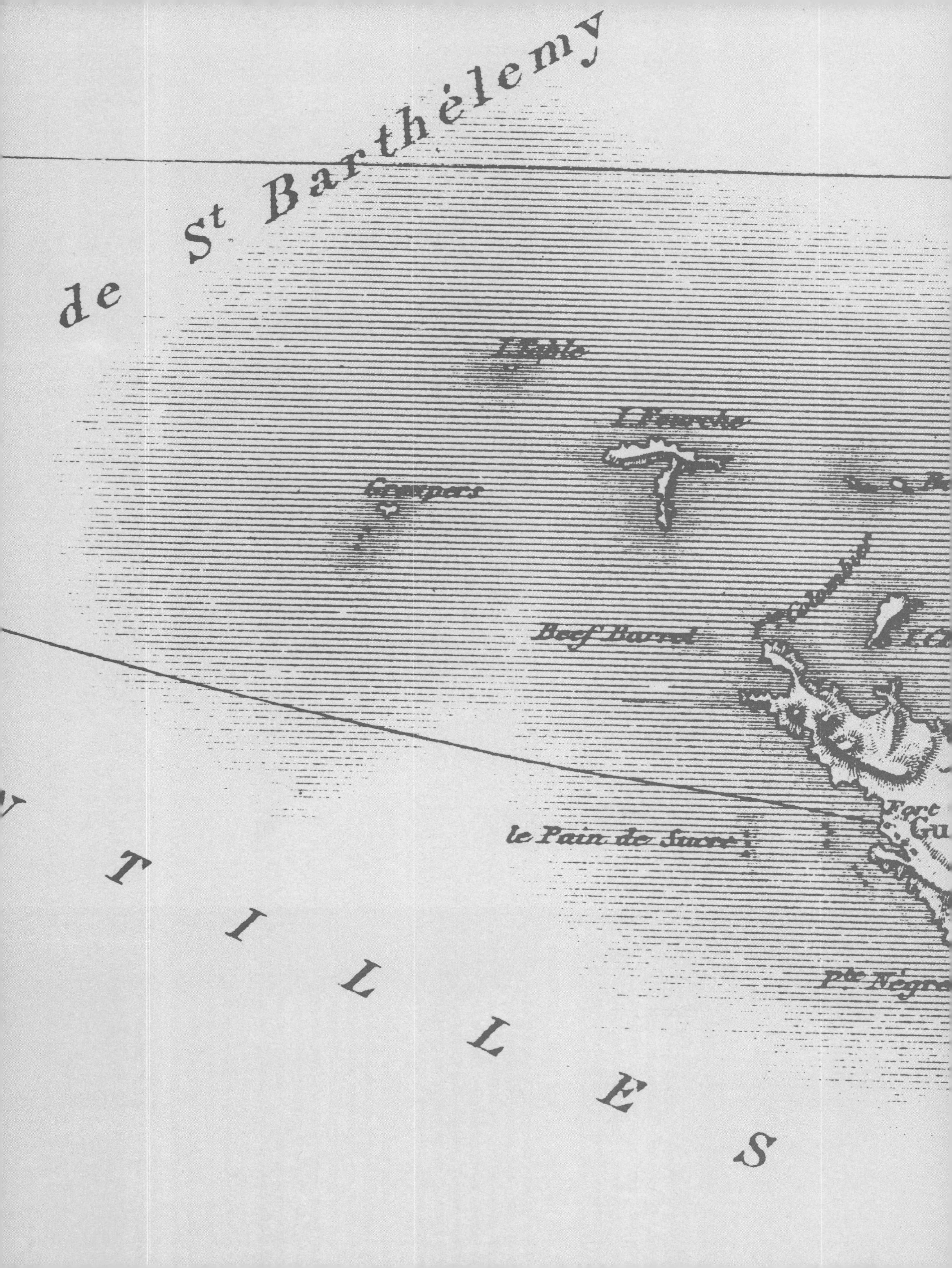

de St Barthélemy

L'Eple

L'Fourche

Groupers

Beef Barrel

ANTILLES

le Pain de Sucre

Fort
Gu

Pte Nègre